YVON DALLAIRE

Guérir d'un chagrin d'amour

jouvence
EDITIONS

Du même auteur

Aux Éditions Jouvence

La sexualité de l'homme après 50 ans, 2008

Cartographie d'une dispute de couple, 2007

Les illusions de l'infidélité, 2007

Aux Éditions Option Santé

Qui sont ces couples heureux ?

Moi aussi… Moi… plus

S'aimer longtemps ?

Chéri, parle-moi !

Pour que le sexe ne meure pas

Homme et fier de l'être

Aux Éditions Bayard Canada et la Société Radio-Canada
La planète des hommes (avec Mario Proulx et al.)

CATALOGUE JOUVENCE GRATUIT SUR SIMPLE DEMANDE

ÉDITIONS JOUVENCE

Suisse : CP 89, 1226 Thônex (Genève)
France : BP 90107, 74161 Saint-Julien-en-Genevois Cedex
Site internet : **www.editions-jouvence.com**
E-mail : info@editions-jouvence.com

© Éditions Jouvence, 2008
ISBN 978-2-88353-647-0
Mise en pages : Éditions Jouvence
Dessin de couverture : Jean Augagneur

Sommaire

Une peine d'amour, quand ça s'en va
Ça laisse toujours, un éclat, une sorte de blessure
Une peine d'amour brutale, ça vieillit mal
Ça prend du temps, mais ça dure pas toujours

Jean-Pierre Ferland
(Album *Les vierges du Québec*)

Introduction :
La réalité des peines d'amour

Nul n'est à l'abri d'une peine d'amour, peu importent son âge, sa situation socioéconomique, la durée de sa relation ou l'intensité de son désir de réussir son couple. Peu importent aussi que la relation soit basée sur un coup de foudre ou sur une connaissance réelle de soi-même et du partenaire. Les statistiques communiquées par l'Organisation mondiale de la santé (OMS) sur les relations conjugales officielles démontrent un taux de séparation qui ne cesse de s'accroître. De 5 % qu'il était en 1890, le taux de divorce est passé à 50 % pour les couples mariés depuis 1970 et semblerait atteindre les 65 % pour les couples mariés depuis 1990. À moins d'un retournement drastique de la situation, et à cause de l'espérance de vie qui ne cesse de s'allonger, le pourcentage de couples unis pour la vie et heureux ne devrait pas dépasser les 20 %. Les démographes croient qu'il faut augmenter au moins de 10 % le taux de séparation des couples en union de fait non statistiquement répertoriés par l'OMS.

Dans les grandes villes comme Paris, Genève, Bruxelles ou Montréal, le taux de personnes vivant seules dépasse les 35 %. Ce groupe d'esseulées est constitué certes de jeunes célibataires n'ayant pas encore vécu de relation amoureuse et de célibataires endurcis qui ne veulent pas hypothéquer leur liberté, mais il est surtout constitué de personnes veuves, divorcées ou séparées qui, toutes, ont vécu une ou plusieurs peines d'amour. Certaines personnes sont à l'origine de la séparation (je les appelle les « Initiatrices »), les autres subissent la décision des premières (je les appelle les « Abandonnées »).

Toute rupture, décidée ou subie, entraîne des réactions à la fois physiques, psychologiques, affectives et comportementales qui peuvent rapidement ou très difficilement être surmontées. L'Initiatrice vivra les moments les plus déchirants avant de prendre et d'annoncer sa décision, alors que l'Abandonnée les vivra après l'annonce du partenaire de mettre fin à la relation. Il arrive parfois que les deux partenaires décident d'un commun accord de mettre fin à leur relation. Les réactions, quoique semblables, sont toutefois atténuées et plus rapidement évacuées.

Ces réactions peuvent aller d'une simple tristesse devant la fin d'un projet de vie à une véritable douleur morale, remplie de désespoir et d'anxiété pouvant mener au suicide ou, pire encore, au meurtre suivi d'un suicide. L'intensité de ces réactions dépend généralement du type de personnalité et de la durée de la relation. Elle dépend aussi de l'« expertise » de la personne qui quitte ou qui est quittée : une troisième séparation risque d'être moins traumatisante que la première peine d'amour, quoique… une nouvelle séparation puisse augmenter le sentiment abandonnique de la personne qui quitte ou est quittée et instaurer un sentiment d'échec relationnel difficile à gérer.

Les ruptures sont nécessairement des moments de souffrance, mais elles sont aussi des moments privilégiés de croissance amenant des changements certes radicaux, mais stimulant ce que Boris Cyrulnik appelle la résilience. La résilience est définie comme la capacité de prendre acte du traumatisme (la rupture) afin de sortir de la dépression consécutive pour survivre et, souvent, mieux vivre. Selon les paroles de Nietzsche : « Ce qui ne tue pas rend plus fort ». (*Ainsi parlait Zarathoustra*) Certaines personnes ne se relèvent jamais d'une rupture, décidée ou subie ; d'autres préfèrent le chagrin à l'oubli ; la plupart réussissent à s'en sortir et à grandir malgré ou grâce aux souffrances liées à la séparation.

Dans ce livre, nous aborderons les différents aspects d'une peine d'amour : les moments critiques plus propices aux séparations ; les étapes du deuil consécutif à la séparation ; les relations toxiques auxquelles il faut mettre fin ; les réactions émotives de l'Initiatrice et de l'Abandonnée ; les trois dimensions impliquées dans une rupture ; et, finalement, les stratégies à utiliser pour se sortir plus rapidement d'une peine d'amour.

I.
Les moments critiques

La vie de couple est tout, sauf un grand fleuve tranquille. De nombreux moments critiques parsèment l'évolution conjugale et les sources de conflits insolubles ne manquent pas, y compris chez les couples heureux à long terme. Contrairement à la croyance populaire « Ils se marièrent, eurent (aujourd'hui) deux enfants et vécurent heureux », la réalité est plutôt que le couple est fait pour créer des crises que les deux conjoints doivent apprendre à surmonter ou du moins à gérer[1] lorsqu'ils ne parviennent pas à se mettre d'accord.

Hommes et femmes, tout comme Frédéric Beigbeder le fait dans son roman *L'amour dure trois ans*, confondent amour et passion. Il aurait été plus juste d'intituler ce livre *La passion dure trois ans*. Quoique la passion puisse être à l'origine de l'amour, il existe des différences fondamentales entre ces deux états. L'amour, c'est ce qui se développe, ou non, au fur et à mesure que l'on apprend à connaître l'autre ; la passion, c'est cette attirance irrésistible faite de sensations intenses qui ne peuvent que s'atténuer avec le temps. Alors que l'amour est un **sentiment** englobant la douceur, la tendresse, l'admiration et l'amitié, lesquels stimulent l'attachement, la passion est une **émotion** envahissante, incontrôlable, irraisonnée et irréaliste qui conduit rapidement à la dépendance, comme le fait toute drogue[2]. Ce n'est d'ailleurs pas sans raison si les symptômes d'une peine d'amour ressemblent étrangement aux symptômes du manque qu'on observe lors d'une cure de désintoxication. On pourrait dire que la passion cimente la relation au début mais, comme le ciment a tendance à prendre l'eau, que c'est la connaissance de soi et de l'autre qui la nourrit et la fait durer en transformant la passion en amour, ou non.

Le premier amour

Le premier amour est presque inévitablement source de la première peine d'amour. Rares sont les couples à long terme formés à partir du premier amour, même si le souvenir du premier amour reste gravé (et même idéalisé) pour toujours. Certaines de ces peines d'amour ont pu avoir lieu aussi tôt que 6-7 ans, à l'école, ou que 12-14 ans, au moment des premiers émois sentimentaux ou sexuels. Le suicide d'enfant et de préadolescent est plutôt anecdotique, mais le suicide constitue la deuxième cause de mortalité chez les jeunes âgés de 15 à 19 ans et nombre de suicides sont reliés à un chagrin d'amour, surtout chez les garçons. La peine d'amour n'est pas toujours la cause du suicide, mais constitue un facteur déclenchant très fréquent. C'est dire l'importance du premier amour et l'intensité de la souffrance émotive que peut provoquer un rejet sentimental. Il ne faudrait donc pas que les parents sous-estiment les amours de leurs adolescents.

La plupart des jeunes gens survivent heureusement à leur première peine d'amour et repartent rapidement à la recherche d'un autre partenaire. Ce premier amour influence toutefois fortement la suite de leur vie amoureuse si les jeunes gens n'apprennent pas, grâce à cette première peine d'amour, à faire la différence entre le fantasme et la réalité et à cesser de croire à une « âme sœur » spécialement conçue pour eux et qui les attend impatiemment quelque part. La perte de l'illusion de l'âme sœur constitue une peine d'amour qu'il faut nécessairement vivre pour avoir accès au véritable amour, celui basé sur la connaissance et non sur le fantasme. Sinon, on risque d'aller de passion en passion et de désenchantement en désenchantement. Il faut cesser de croire, à notre corps et cœur défendant, que l'intensité des premières passions puisse durer éternellement, même si Alexandre Jardin veut nous faire croire le contraire et même s'il l'écrit divinement. L'amour véritable est basé sur la raison et non sur l'émotion ou la sensation, lesquelles ne sont que passagères. C'est pourquoi arrive toujours dans l'évolution d'un couple un point de rupture, un point où l'on doive choisir entre le fantasme et la réalité.

Le test de la réalité ou phase de « désidéalisation »

De toutes les crises inévitables de la vie conjugale (voir encadré), la phase de « désidéalisation » est la plus susceptible de mener l'Initiatrice à parler de séparation. La découverte de l'autre tel qu'il est réellement provoque le premier moment critique de l'évolution de tout couple : ça passe ou ça casse. Cette première crise prend place habituellement autour de la troisième année de vie commune. Elle s'intensifie au fur et à mesure de la diminution de la passion originelle qui dure chimiquement de 16 à 18 mois. C'est la fin de la lune de miel et la confrontation aux réalités de la vie quotidienne du couple, particulièrement si arrive un premier enfant. Les couples heureux a long terme réussissent alors à développer un amour plus « tranquille », plus stable, remplaçant progressivement la passion du début. Les couples malheureux et ceux qui finiront par divorcer s'engagent plutôt dans une lutte pour le pouvoir qui évolue en affrontement ou en refus d'accepter l'autre tel qu'il est. Ce refus pousse l'Initiatrice, après de longues et dures réflexions, à prendre sa décision de mettre fin à la relation.

Tableau 1 : Les neuf moments critiques

(Tiré de *Qui sont ces couples heureux ?*, Yvon Dallaire)

1. La phase de « désidéalisation » ou « test de la réalité »
2. L'emménagement ou un déménagement
3. L'arrivée d'un enfant
4. Les changements de carrière ou pertes d'emploi
5. Les aventures extraconjugales
6. Le démon de midi
7. Le départ des enfants ou syndrome du nid vide
8. La mise à la retraite
9. La maladie ou la mort d'un être cher

Plus la personne est passionnée, fusionnelle et narcissique, plus elle refusera que l'autre ne corresponde pas à ses attentes et plus elle cherchera à le rendre conforme à son idéal, provoquant inévitablement de la résistance chez son conjoint. D'où la lutte pour le pouvoir où chacun accuse l'autre de mauvaise foi ou de manque d'amour.

Cette crise pourrait être bénéfique si elle permettait à chacun de s'affirmer positivement devant l'autre, d'accepter l'autre en tant qu'autre et si les deux arrivaient à partager le pouvoir. Malheureusement, la majorité des couples n'arrive pas à voir la complémentarité de leurs perceptions et s'engage dans des impasses : « Tu n'es plus l'homme ou la femme que j'ai connu et aimé passionnément ! Donc, je te quitte et je pars à la recherche de ma véritable âme sœur. » Le risque est très grand que l'Initiatrice se retrouve confrontée à la même situation trois ans plus tard, allant ainsi de passion en passion… passagères. Ceux pour qui le divorce ou la séparation n'est pas une avenue acceptable se résignent alors et cherchent ailleurs des compensations : investissement dans le travail, soin aux enfants ou… aventures extraconjugales.

Les aventures extraconjugales

Malgré la minimisation actuelle de l'adultère par les médias et certains intervenants, plus de 95 % des gens disent que la fidélité est très importante dans la réussite à long terme d'un couple. Mais il semblerait que dire et mettre en pratique soient deux choses plutôt différentes car, selon certaines statistiques, 50 % des hommes et des femmes seraient un jour ou l'autre infidèles à leur partenaire. Ce qui signifierait que deux à trois couples sur quatre soient aux prises, à un moment donné, avec l'infidélité de l'un ou l'autre partenaire. Et contrairement, là aussi, à la croyance populaire, l'infidélité n'est jamais banale et sans conséquence.

La personne victime de l'infidélité de son partenaire vit alors une première peine d'amour, soit la perte de confiance en son partenaire. Elle vivra une deuxième peine d'amour si elle n'arrive pas à pardonner cette infidélité et prend la décision de quitter. L'Abandonnée devient alors Initiatrice. C'est ce qui arrive à deux couples sur trois aux prises avec une infidélité. Il se peut aussi que l'infidèle soit l'initiateur de la séparation, justement parce qu'il croit avoir trouvé une autre personne prête à l'accueillir. Cet espoir est malheureusement contredit par la réalité qui démontre que ces relations « illicites » ont très peu de probabilités de succès. L'Initiatrice devient à son tour Abandonnée par l'amant ou l'amante qui voulait bien, consciemment ou non, de cette relation illicite, mais qui se trouve incapable de vivre, ou ne désire pas vivre, à temps plein avec son amant(e) maintenant devenu disponible.

La perte d'un enfant

La mort la plus traumatisante qui soit est sans contredit la mort d'un enfant. Elle n'est pas non plus sans conséquence puisque très peu de couples survivent à la mort d'un enfant, surtout si l'un en arrive à croire, à raison ou à tort, que l'autre est responsable de cette mort, ou si l'un des deux réussit à se remettre plus rapidement de cette mort que l'autre. Les parents se retrouvent tous deux dans la position de l'Abandonnée.

Autres moments critiques

Chacun des six autres moments critiques de l'encadré peut en fait, mais dans une moindre proportion, être propice à la séparation. Mêmes des moments joyeux, comme l'arrivée d'un enfant ou l'achat d'une première maison, peuvent déclencher une confrontation telle que les deux amants deviennent deux ennemis et que l'un d'eux veuille prendre de la distance, laissant l'autre dans une incompréhension totale.

Les sources de conflits insolubles des couples sont, dans l'ordre : l'éducation des enfants, l'argent, les relations avec les belles-familles, la répartition des tâches ménagères, la conciliation vie professionnelle/vie privée et la sexualité. Chacune de ces sources peut polariser les membres d'un couple à un point tel que l'attirance, l'admiration et la confiance réciproques nécessaires à la construction de l'amour diminuent et que les partenaires se retrouvent dans une escalade où avoir raison sur l'autre devient l'enjeu majeur. Mais nul besoin de crises majeures pour mener un couple au bord de la séparation. On sait tous que la majorité des disputes de couples commencent à propos de peccadilles.

II.
Le processus
de la peine d'amour

Les étapes du processus

À quelques nuances près, les étapes d'une rupture amoureuse, décidée ou subie, sont les mêmes que les étapes vécues lors de la mort d'un être cher ou la perte d'un objet ou d'un projet qui nous tient à cœur, étapes bien analysées par Élizabeth Kübler-Ross[3] dans ses travaux. Elles sont au nombre de cinq et diffèrent quelque peu pour l'Initiatrice et l'Abandonnée. L'Initiatrice vivra ces étapes avant de faire l'annonce de la séparation ; son processus de deuil sera déjà avancé, sa peine d'amour en partie liquidée au moment de l'annonce. Pour l'Abandonnée, le processus s'amorce dès l'annonce de la rupture.

Le déni ou refus de la réalité

L'Initiatrice refuse au départ de croire qu'elle n'aime plus son partenaire. Elle peut essayer de raviver sa flamme, mais se rend compte que son amour est mort, que son rêve initial ne pourra se réaliser avec ce partenaire. Ce processus prend parfois des mois et des années. Ce qui n'est pas le cas pour l'Abandonnée qui, même si elle ne veut pas croire ce qu'elle entend, constate que son partenaire est sérieux dans sa décision. Elle a alors l'impression que le sol se dérobe sous ses pieds, qu'elle perd l'équilibre, que tout s'écroule autour d'elle surtout si son amour pour l'Initiatrice reste encore vivace. Cette étape est tellement intense que l'Abandonnée semble gelée, sans émotion. Cette sidération psychologique peut se manifester par une espèce de paralysie ou, au contraire, par une grande agitation : « Ce n'est pas vrai, c'est pas possible, tu m'fais marcher… Ça va passer. T'as pas le droit de m'abandonner. » Mais, très rapidement, la réalité de la perte s'installe.

La colère et la culpabilité

L'Initiatrice, avant de prendre finalement sa décision, vit un mélange de culpabilité, de colère, de désarroi, de doute et de frustration. Elle se sent coupable, car elle sait le mal que son rejet fera à l'autre. Elle est en colère contre son partenaire de ne pas ou plus être à la hauteur de ses attentes et lui exprime de plus en plus souvent cette colère. Elle est aussi en colère contre elle-même car elle a l'impression de s'être laissée piéger par l'Abandonnée, qu'elle ne l'aimait peut-être pas autant qu'elle le croyait au début. Elle se sent démunie et désarmée, car elle n'a pas voulu cette situation ; elle compense souvent en s'investissant davantage au travail ou auprès des enfants. Ses doutes peuvent l'amener à proposer une séparation provisoire plutôt que définitive, car elle redoute la solitude après la séparation (à moins qu'elle ait déjà établi une relation extraconjugale). Et elle est d'autant plus frustrée qu'elle s'est lentement enfermée dans le silence, ne pouvant parler de son ambivalence à son partenaire.

L'Abandonnée avait bien remarqué le moindre empressement de son conjoint à son égard et perçu des signes d'éloignement, mais ne s'attendait pas à ce que ce soit si grave. Une fois surmonté le choc de l'annonce de la rupture, elle devient ambivalente. D'un côté, elle se révolte et lui exprime sa colère, de façon verbale, mais parfois aussi de façon physique ; de l'autre côté, elle cherche à reconquérir son partenaire et lui exprime alors tout son amour et sa considération. Elle peut passer d'un extrême à l'autre dans une même interaction. Elle se sent coupable, se demandant ce qu'elle a bien pu faire pour tuer l'amour de son conjoint à son égard. Elle se reproche tous les refus qu'elle lui a faits et toutes ses absences. Elle s'en veut de ne pas avoir vu venir cette annonce. Elle vit aussi des moments où elle est véritablement hors d'elle-même. Des pulsions de vengeance la poussent à poser des comportements qu'elle regrette. Elle se sent « tomber », mais cherche à se raccrocher à l'espoir que tout va revenir comme avant. Son sentiment de rejet et de dévalorisation la fait passer de comportements de séduction à des comportements agressifs. Cette agressivité peut s'exprimer contre son conjoint par toutes sortes de critiques et de jugements négatifs ou contre elle-même en s'enfermant dans la bouderie, le refus de manger ou, à l'inverse, dans une agitation incontrôlée.

Le marchandage

S'ensuit alors une phase de négociations, de marchandages, parfois même de chantages. Cette phase se manifeste souvent en parallèle avec la précédente. Pour l'Initiatrice, ce marchandage se fait en silence, avec elle-même ; elle peut aussi parfois en parler avec des amis ou des parents, à l'insu du partenaire. Elle a pu chercher à se convaincre elle-même qu'elle ne pourrait pas trouver mieux ailleurs, que la vie de couple est ainsi faite, qu'elle devrait se résigner, que les autres couples ne semblent pas plus heureux, que parfois elle ressent des élans envers son partenaire et que le temps pourrait arranger les choses. Mais, elle se convainc finalement que son amour est véritablement mort et que la meilleure chose à faire est de l'annoncer et de faire face à la musique.

L'Abandonnée est ambivalente. Elle tente parfois de modifier la décision de l'autre et, à certains moments, lui dit de « débarrasser le plancher ». Elle cherche à gagner du temps en lui demandant ce qu'elle pourrait faire pour qu'il reste et d'autres fois le menace de lui faire payer (à tous points de vue) sa décision. Elle est prête à tout pour obtenir une deuxième chance. Elle peut faire la promesse de changer et de mieux tenir compte de l'autre et l'accuse à d'autres moments d'être égoïste et de ne penser qu'à elle, d'être sans cœur à cause du mal qu'elle lui fait en la laissant tomber. Elle peut proposer une thérapie conjugale espérant que l'intervention ranimera la relation. Dans les pires moments, elle peut aller jusqu'au chantage au suicide. Mais devant le refus de l'Initiatrice, l'Abandonnée finit par lâcher prise et se trouve confrontée au vide de la perte.

La dépression

Cette phase plus ou moins longue du processus de deuil est caractérisée par une grande tristesse, des remises en question, de la détresse, de l'anxiété, de l'angoisse et différents symptômes physiques et psychologiques. Là encore, l'Initiatrice vivra cette phase en solitaire, avant de communiquer sa décision à l'Abandonnée, et ce malgré les appels à la discussion de la part de son partenaire qui se demande bien ce qui se passe. Elle s'enfermera, se posera toutes sortes de questions et il lui arrivera même de pleurer en silence, parfois en présence de son partenaire, au milieu de la nuit. La tension provoquée par son ambivalence, ses questionnements, sa frustration amoureuse, la perte de son rêve initial… minera tranquillement ses forces et différents troubles fonctionnels surviennent : perte d'appétit et de libido, insomnie, difficultés de concentration, attitude morose, baisse de rendement au travail, « voyages dans la lune »… Cette tension soutenue trop longtemps provoquera des maux de tête, de dos et des courbatures. L'Initiatrice désire informer son partenaire, mais sa culpabilité et la crainte des réactions de l'autre l'en empêchent pendant des semaines et des mois, usant ses forces physiques et psychologiques.

Lorsque l'Abandonnée a épuisé toutes ses ressources pour essayer de sauver son couple et son rêve initial, elle ne peut que se résigner et subir la décision de son partenaire. Ses tentatives de nier la réalité, de récupérer son partenaire, ainsi que ses sautes d'humeurs et les disputes parfois intenses avec l'autre, finissent par user ses forces physiques et mentales. L'Abandonnée se retrouve alors dans un abattement plus ou moins profond. Tous les symptômes précédemment vécus par l'Initiatrice apparaissent maintenant chez l'Abandonnée, parfois en pire, souvent accompagnés de véritables pensées suicidaires et même de passages à l'acte. L'estime de soi et la confiance en soi en prennent un coup ; les relations avec l'entourage et le rendement au travail s'en ressentent nécessairement. Un congé de maladie à ce moment-là ne fait qu'accentuer la sensation de vide intérieur, car l'Abandonnée a plus de temps pour y penser. La guerre avec l'autre se transforme en guerre avec soi et se manifeste par un « Pourquoi ? » obsédant, compulsif, obnubilant. Cette rumination continue de gruger ses énergies et aggrave son état dépressif. Cette nouvelle peine d'amour ravive les anciennes et ranime des traumatismes infantiles de rejet ou d'abandon. L'angoisse et le désespoir s'installent à demeure, parfois pendant des mois et des années. Les Abandonnées ont souvent l'impression qu'ils ne passeront jamais au travers de leur deuil, d'autant plus que l'Initiatrice, elle, semble aller de mieux en mieux avec le temps qui passe.

L'acceptation

Effectivement, lorsque le déclic se fait dans la tête de l'Initiatrice, à partir du moment où cessent son ambivalence et ses questionnements, l'annonce de sa décision est vécue comme une délivrance, malgré les fortes réactions et les sautes d'humeur de l'Abandonnée. Sentir et espérer qu'une nouvelle vie s'offre maintenant à elle lui permet de voir la lumière au bout du tunnel. Malgré la culpabilité vécue face à son partenaire, un véritable poids vient de s'envoler de ses épaules et sa joie de vivre revient plus ou moins rapidement, encore plus rapidement si un nouvel amour pointe à l'horizon ou si une bonne nouvelle lui arrive (au travail par exemple). Pendant que son partenaire coule, l'Initiatrice respire de mieux en mieux, ce qui, pour l'entourage, peut donner l'impression qu'elle est un monstre, particulièrement dans les milieux où les séparations sont inacceptables. Ce qui était pour l'Initiatrice la cause de sa douleur, prendre ou non la décision de quitter, devient, maintenant qu'elle est prise, une source d'apaisement et de calme. Une transformation s'opère.

Tout autre sera le cheminement de l'Abandonnée avant d'arriver à retrouver la joie de vivre et de partir vers un nouvel horizon. La dépression de la quatrième phase peut s'éterniser, surtout si la personne est devenue dépendante affective. Chez la personne dépendante, l'estime de soi repose sur le regard et l'amour des autres. Le deuil peut alors facilement prendre de deux à cinq ans avant d'arriver à l'acceptation finale. Dans certains cas pathologiques, l'Abandonnée se réfugie dans le déni et agit comme si l'autre l'aimait toujours, malgré la séparation ; elle entretient l'espoir qu'un jour l'autre reviendra. Pour les personnes moins dépendantes, plus sûres d'elles-mêmes, le deuil s'effectue normalement sur une période de trois à six mois. Mais, avant d'arriver à l'acceptation, l'Abandonnée passe généralement par un état de résignation dans lequel elle se soumet à la décision de l'autre et se laisse portée par la vie. L'Abandonnée vivra encore les affres de la perte, passera par des moments de plus grande tristesse, mais tranquillement elle reprendra du mieux et retrouvera son plein fonctionnement. Parfois angoissée et isolée, elle redevient toutefois de plus en plus sociable. Lentement, elle réorganise sa vie en fonction de la perte qu'elle accepte de mieux en mieux pour, finalement mais pas toujours, la comprendre et même en profiter. Les rechutes sont de plus en plus rares, de moins en moins intenses et de moins en moins longues, jusqu'au moment de l'acceptation entière. C'est comme si un chapitre de sa vie venait de se terminer et qu'il est temps d'en écrire un nouveau. La colère et la tristesse disparaissent.

Ces cinq étapes du processus de la peine d'amour ne sont évidemment pas linéaires, car un retour en arrière est toujours possible. L'Initiatrice peut, après une séparation temporaire, revenir vivre avec son partenaire pour vérifier si elle est encore capable d'amour pour son partenaire. L'Abandonnée peut, après une période où elle semblait bien rétablie, rechuter dans un profond abattement. Ces étapes ne se succèdent pas forcément, elles sont souvent vécues en parallèle : ce n'est pas un mécanisme rigide. Elles peuvent aussi différer d'une personne à l'autre : certains se relèvent très rapidement d'une peine d'amour ; certains, pour citer Maurice Chapelan, sont « parfois assez fous pour préférer le chagrin à l'oubli » ; d'autres ne vivent pas de phase dépressive, malgré l'intensité des émotions et sentiments ressentis ; d'autres finalement donnent l'impression de profiter rapidement de leur liberté retrouvée.

Les symptômes physiques d'une peine d'amour

Quoiqu'une peine d'amour ne soit pas une atteinte corporelle, de nombreux symptômes physiques se manifestent lors d'un tel événement. Ils sont la conséquence de la longue période de réflexion et de la forte tension émotive provoquée par l'annonce d'une séparation. À long terme, cette tension, comme toute tension émotive ou psychologique, affaiblit le système immunitaire et peut provoquer des états maladifs chroniques. Le traumatisme vécu lors d'une peine d'amour génère des complications, particulièrement au plan cardiovasculaire. Des maladies chroniques préexistantes peuvent être réveillées et s'aggraver. Une peine d'amour intense peut même accélérer la dégénérescence et la mort, particulièrement chez les personnes âgées de plus de soixante ans.

Il existe, selon le sexe, des différences significatives révélées par des études épidémiologiques qui ont démontré – hors de tout doute possible – une surmortalité des hommes lors d'une peine d'amour. La santé physique des hommes est atteinte dans une plus grande proportion que celle des femmes. L'explication de cette différence se trouve dans le fait que les hommes ne verbalisent pas leurs émotions et consultent beaucoup moins que les femmes, que ce soit un médecin ou un psychologue. Ils ont aussi tendance à compenser leur peine dans un surplus de travail ou un excès d'alcool, de tabac ou de drogues, d'où l'expression « noyer son chagrin ». Les femmes, lors de peine d'amour, prennent peut-être davantage de médicaments que les hommes, mais ceux-ci sont pris sous supervision médicale ; les effets secondaires sont ainsi mieux contrôlés, ce qui n'est pas le cas pour l'alcool et les drogues. Le fait que les femmes se rabattent sur les enfants (lorsqu'il y en a) pour continuer de donner un sens à leur vie, alors que les hommes se retrouvent davantage isolés, avec une garde de week-end seulement lorsqu'ils sont des enfants, explique aussi cette différence. Leur surmortalité est également due au fait que les hommes ont des comportements plus à risques, que ce soit au niveau des sports extrêmes ou de la conduite automobile. Un homme sous forte tension émotive due à une peine d'amour sera alors moins attentif au danger de sa conduite.

Tableau 2 : Les symptômes physiques

Sensation de perte d'équilibre – Crampes intestinales
Nausées et diarrhées – Maux de tête et de dos
Courbatures – Indigestions – Insomnie
Fatigue intense – Perte de poids
Perte de libido – Perte d'appétit
Agitation – Hypertension
Troubles cardiaques

Les symptômes psychologiques d'une peine d'amour

Que des gens vivant une peine d'amour aient des réactions physiques et psychologiques est tout à fait normal. Mais il arrive parfois que le premier symptôme mental suite à une peine d'amour soit paradoxalement l'absence de réactions physiques ou psychologiques. L'Abandonnée réagit comme si de rien n'était ; elle ne paraît pas souffrir et ne parle pas de ce qui lui arrive. Elle n'exprime ni tristesse, ni anxiété. C'est comme si elle implosait. Ce symptôme est préoccupant, car nous savons tous que la perte d'un être cher ne peut pas ne pas provoquer de réactions émotives. Dans ce cas-ci, les réactions sont reportées à plus tard et peuvent être encore plus dramatiques car, un jour ou l'autre, l'Abandonnée explosera.

Les symptômes de ceux qui réagissent peuvent être mineurs, telle une tristesse passagère, ou dramatiques, tel le suicide. Entre les deux, il y a place pour de nombreuses réactions. Les plus fréquentes sont une augmentation de l'anxiété, des remises en questions sur le sens de la vie et du couple, une perte d'estime et de confiance en soi et en l'autre, une augmentation de la crainte de la solitude et de la peur de ne jamais retrouver quelqu'un d'autre à aimer et de qui être aimé. Certaines ruptures provoquent une véritable décompensation, un effondrement brutal des mécanismes psychiques de l'individu, le menant à une dépression nécessitant une hospitalisation et une médicalisation, parfois même à une psychose avec délire paranoïde.

Selon le psychiatre Jean-François Saucier, professeur à la Faculté de médecine de l'Université de Montréal, il existe une corrélation positive entre le divorce et le suicide des hommes : à chaque 1 % d'augmentation du taux de divorce correspond une augmentation de 0,33 % du taux de suicide[4]. La peine d'amour comme cause de suicide des hommes est la seule que l'on retrouve à tous les âges, de la préadolescence au plus grand âge. Dans certains cas, des hommes vont tuer la partenaire qui veut les quitter avant de s'enlever la vie ; d'autres vont aussi entraîner leurs enfants dans la mort (familicide), acte que l'on retrouve que très rarement chez les femmes. Les hommes ne disent pas leurs émotions, ils ont plutôt tendance à les agir.

Tableau 3 : Les symptômes psychologiques

Anxiété – Tristesse – Angoisse – Colère – Rage
Dépression – Décompensation – Abattement
Repli sur soi – Asociabilité – Réactions paranoïdes
Perte d'estime de soi – Perte de confiance en soi
Idées obsédantes – Dévalorisation – Nostalgie
Mutisme ou volubilité – Troubles comportementaux
Comportements à risque – Protestations
Difficultés d'attention et de concentration
Ruminations – Suicide, précédé ou non de meurtre

Facteurs aggravants
ou atténuants

L'intensité et la durée des symptômes consécutifs à une rupture dépendent de certains éléments. Le plus important est la qualité de la relation : plus la relation était satisfaisante, plus la rupture sera douloureuse ; plus la relation devenait insatisfaisante, moindre seront les symptômes et plus rapidement se fera le deuil. Un deuxième élément réside dans la prévision ou non de la rupture : une rupture soudaine et imprévue provoquera plus de réactions intenses qu'une rupture où les deux partenaires sentaient la fin approcher inexorablement.

Comme on l'a vu plus haut dans la comparaison des réactions de l'Initiatrice et de l'Abandonnée, l'intensité des réactions ne se vit pas au même moment si la rupture vient de soi ou de l'autre. Il peut, à première vue, sembler que l'Abandonnée souffre davantage que l'Initiatrice, mais la réalité est tout autre. L'Initiatrice a fortement souffert avant de prendre sa décision, alors que l'Abandonné souffrira davantage après l'annonce, parce qu'elle aura à subir la décision de l'autre et encore plus si elle ne l'avait pas pressentie.

L'intensité des divers symptômes dépend aussi de la personnalité des personnes en cause. Plus ces personnes sont dépendantes, fragiles, immatures, solitaires, ambivalentes, plus les symptômes s'aggravent. Les réactions seront aussi plus intenses si la personne vit en parallèle un moment difficile : la perte d'un parent ou d'un ami, une maladie physique, un accident, une perte d'emploi ou d'argent, une période de déstabilisation mentale. La souffrance due à la peine d'amour potentialise les réactions déjà présentes.

Finalement, l'intensité des réactions est tributaire du manque ou de la perte en elle-même. La vie de couple permet la réalisation de projets personnels et communs et de satisfaire nombre de besoins humains, au-delà des besoins d'amour et de la sexualité. Le couple satisfait aussi des besoins de complicité, de communication, de loisirs, de chaleur humaine, de support moral, affectif et pécuniaire, de rituels. La rupture vient mettre fin à la satisfaction de tous ces besoins et à toutes les routines agréables que le couple avait développées. C'est au moment de la perte de ces sources régulières et quotidiennes de satisfaction que tant l'Initiatrice que l'Abandonnée perçoivent l'importance de ces habitudes et du vide ainsi créé.

La réflexion précédant (pour l'Initiatrice) et suivant (pour l'Abandonnée) la rupture les met en contact avec leur besoin d'aimer et d'être aimé, besoins psychiques des plus importants. Elle les confronte aussi à leur peur de la solitude. C'est pourquoi tant de gens demeurent en couple bien qu'ils y soient malheureux. Une rupture nous oblige à différencier les fantasmes de la réalité et à remettre en question nos perceptions de l'amour et du couple. Certains y parviennent facilement : le deuil devient alors une occasion de vie nouvelle et un apprentissage aux renoncements nécessaires. D'autres échouent et voient alors une partie de leur joie de vivre disparaître : ils ont l'impression de mourir peu à peu. D'autres repartent à la recherche d'une nouvelle passion qui comblera (temporairement) leur vide intérieur.

III.
Savoir s'il faut quitter

Il existe des relations toxiques qu'il faut quitter au plus tôt, des relations auxquelles il faut dire adieu dans les meilleurs délais car elles ne peuvent que confirmer le dicton « Pour le meilleur et pour le pire », le meilleur durant le temps de la séduction et de la lune de miel, soit deux à trois ans, et le pire pouvant s'étendre sur des décennies. Il y a un siècle à peine, au moment où les principes religieux étaient tout-puissants, les divorcés étaient excommuniés ; ce n'est plus le cas aujourd'hui, car l'Église a perdu son influence et les valeurs d'épanouissement personnel sont de plus en plus mises en avant. On est peut-être passé d'un extrême (5 % de divorces en 1890) à un autre extrême (prévision de 65 % de divorces pour les couples unis depuis 1990), mais mieux vaut trop de liberté que pas assez. Il faut aussi se rappeler que l'espérance de vie est passée de 50 ans en l'an 1900 à plus de 80 aujourd'hui, et cette espérance ne cesse de croître. Il sera donc de plus en plus difficile de faire rimer amour avec toujours si toujours est de plus en plus long.

Mais comment s'assurer que la relation actuelle possède tous les éléments pour former un couple heureux à long terme, malgré les conflits et crises inévitables de la vie à deux, ou qu'il vaut mieux quitter une relation qui s'enfonce lentement mais sûrement ? Voici un questionnaire, dont les réponses seront nécessairement subjectives, pour évaluer l'état actuel de votre relation et cerner les points sur lesquels il faudrait travailler au plus tôt, sous peine d'aggravation de la situation jusqu'à ce que la relation devienne toxique.

Test de bonheur conjugal

Évaluez de 1 à 5 chacun des vingt-cinq items ci-dessous à partir de l'échelle suivante :

1. Très insatisfait / 2. Peu satisfait / 3. Moyennement satisfait / 4. Assez satisfait / 5. Très satisfait

1. Notre confiance et respect réciproques	1 2 3 4 5
2. Le respect de mon territoire et de mes habitudes	1 2 3 4 5
3. Sentiment d'admiration pour mon partenaire	1 2 3 4 5
4. Sentiment que mon partenaire m'admire	1 2 3 4 5
5. Sentiment de complicité avec mon partenaire	1 2 3 4 5
6. Notre entente sur nos projets à court, moyen et long terme	1 2 3 4 5
7. Notre communication verbale émotive	1 2 3 4 5
8. La fréquence de nos rapports sexuels	1 2 3 4 5
9. La qualité de nos rapports sexuels	1 2 3 4 5

10. Nos moments de tendresse, hors
    sexualité   1 2 3 4 5
11. L'éducation de nos enfants   1 2 3 4 5
12. Notre entente financière   1 2 3 4 5
13. Notre partage des tâches ménagères 1 2 3 4 5
14. Mes liens avec la belle-famille   1 2 3 4 5
15. Nos activités de loisirs   1 2 3 4 5
16. La vie au jour le jour   1 2 3 4 5
17. La prise de décision   1 2 3 4 5
18. La résolution de nos conflits   1 2 3 4 5
19. La quantité de temps passé ensemble 1 2 3 4 5
20. La qualité du temps passé ensemble 1 2 3 4 5
21. Le support obtenu lors de moments
    difficiles   1 2 3 4 5
22. Les relations avec nos couples amis 1 2 3 4 5
23. Nos périodes de vacances en couple,
    sans la famille   1 2 3 4 5
24. Notre engagement réciproque et notre
    partage du pouvoir   1 2 3 4 5
25. Mon sentiment de liberté dans mon
    couple   1 2 3 4 5

Additionnez les totaux de chaque colonne
= _____, puis soustrayez 25 points de ce total
= _____ %. Le chiffre obtenu vous donne votre
taux de satisfaction conjugale en pourcentage. Plus
celui-ci est élevé et plus vous vivez en couple depuis
longtemps, plus vous êtes amoureux et heureux et

plus votre relation a des chances de durer. Plus votre résultat est faible, plus votre relation devient toxique. Interprétation sommaire des résultats :

- 76 à 100 % : Couple très heureux, surtout si vous approchez 100 %.
- 51 à 75 % : Couple heureux avec des hauts et des bas, mais attention si vous approchez 51 %.
- 25 à 50 % : Couple malheureux et qui risque de l'être de plus en plus si vous ne réagissez pas immédiatement.
- 0 à 25 % : L'un de vous deux, sinon les deux, songe sérieusement à la séparation. Pensez à une thérapie conjugale ou personnelle.

Pour obtenir une évaluation plus détaillée de vos réponses à ce test de bonheur (ou malheur) conjugal, rendez-vous sur le site **www.coupleheureux. com** et transférez-y vos évaluations. Voyez ce test comme une photographie de votre relation actuelle. Il vous permet d'évaluer non seulement votre degré de bonheur conjugal, mais il attire aussi votre attention sur les différentes composantes de la vie à deux. Repassez-le dans quelques mois pour voir dans quelle direction votre couple évolue ; vous serez alors plus en mesure de prendre une décision.

Les relations toxiques

Il est facile de prendre la décision de rester ou de partir si votre résultat dépasse 75 % ou si celui-ci se situe à moins de 25 %. Mais si votre résultat se situe entre les deux, vous êtes probablement aux prises avec une forte ambivalence qui vous pousse à vous demander si vous aimez encore ou non votre partenaire, sans pouvoir y apporter une réponse claire. Encore vous faut-il faire la différence entre une relation difficile ou toxique à laquelle il ne vaut pas la peine de s'accrocher et les moments difficiles normaux et inévitables de la vie à deux. Tous les couples passent par des moments difficiles et aucun de ces moments ne peut justifier une rupture ; au contraire, ces moments critiques mettent votre amour à l'épreuve et le font grandir, si vous réussissez à les surmonter.

Par contre, il vous faut mettre fin le plus rapidement possible aux sept relations toxiques suivantes ; celles-ci ne peuvent que vous conduire à une impasse et à une perte graduelle d'estime de vous-même qui vous donnera l'impression que vous passez à côté de votre vie. On devrait s'élever en amour et non pas « tomber » en amour. Devenez l'Initiatrice, car de toute façon vous serez bientôt l'Abandonnée.

Vous devez mettre fin à toute relation avec une **personne hors d'atteinte** : une personne mariée qui vous dit qu'elle divorcera bientôt ou qui fait des allers-retours entre vous et son partenaire. Ne faites pas comme Annie, une jolie femme de 38 ans venue me consulter et qui attendait que son amant divorce depuis plus de 15 ans. Initiez la séparation avec une personne qui veut bien passer du temps agréable avec vous, mais qui vous dit qu'elle n'est pas prête à s'engager : croyez-la ! Quittez la personne « worka-holique » qui fait passer son travail avant tout ou une personne qui vous fait passer en dernier, après ses amis, sa famille, ses loisirs, ne vous accordant ainsi que le peu de temps qui reste à sa disposition. Ne vous engagez pas non plus avec une personne qui a un lourd passé d'échecs amoureux. Ne jouez pas au sauveur ou à Mère Teresa.

Vous devez rompre toute relation dans laquelle n'existe **aucune compatibilité**. Pour former un couple durable, il faut être sur des longueurs d'on-des qui, quoique quelque peu différentes, doivent s'harmoniser. Même si vous êtes fortement attiré par cette personne, votre relation n'ira nulle part si n'existe aucun point commun, si la communica-tion ne mène nulle part, si vous ne partagez aucune activité et où, finalement, vous avez peu de plaisir, autre que sexuel, à être ensemble.

Quittez toute relation où vos **besoins légitimes ne sont pas respectés**. Le test de bonheur conjugal ci-dessus énumère ces besoins légitimes : amour, sexualité, communication, chaleur humaine, entente, partage, complicité, liberté… Si vous ne ressentez aucun respect, ni soutien émotif, initiez la rupture.

Ne vous posez aucune question et quittez au plus tôt un partenaire qui manifeste une **infidélité chro-nique**, une infidélité à répétition malgré les promesses d'amendement. Chaque infidélité vous fera revivre une nouvelle peine d'amour, stimulera votre rage et peur de l'abandon et ne pourra qu'être dommageable pour votre santé physique et mentale à long terme. Nul amour ne peut survivre sans engagement et honnêteté.

Si vous avez l'impression que votre couple constitue un **territoire dévasté** où ne règnent que le vide, l'isolement, le manque, la distance… quittez !

Quittez aussi le couple qui n'est qu'un **champ de bataille** rempli de haine, de colère et d'insultes. À plus forte raison si existe de la violence psychologique, physique, sexuelle ou économique.

Il vous faut aussi rompre toute **relation de manipulation**[5] où votre partenaire vous dévalorise, cherche à vous isoler de votre entourage ou agit comme un « vampire émotif ». Cette manipulation peut prendre plusieurs formes :

- la jalousie : « Tu n'as pas le droit d'exister en dehors de moi » ;
- la faiblesse : « Je ne suis rien sans toi, tu dois donc rester avec moi » ;
- le pouvoir : « Tu agis comme je veux, sinon… je te quitte » ;
- la servitude : « Je te suis tellement utile que tu ne pourras jamais me quitter » ;
- la culpabilité : « Tout est de ta faute si ça ne marche pas entre nous » ;
- la gentillesse : « Regarde tout ce que je fais pour toi… » ;
- la menace : « Si tu me quittes, tu vas le payer très cher ».

Écoutez la sagesse de votre petite voix intérieure qui vous dit qu'il n'y a rien à espérer de ces relations.

Le syndrome de l'Initiatrice

L'ambivalence est ce qui caractérise le plus le syndrome de l'Initiatrice, une ambivalence qui devient rapidement viscérale. Cette ambivalence provient du conflit existant entre la raison qui pousse à quitter une relation devenue insatisfaisante et des émotions très vivaces, comme le souvenir des moments agréables et la peur des conséquences de la rupture (solitude, réactions du partenaire et de l'entourage, enfants, argent...). Ce conflit entre l'être de plaisir qui voudrait quitter et l'être de raison qui veut respecter ses engagements peut durer des années. L'Initiatrice a alors tendance à nourrir son inaction par de nombreuses rationalisations, basées sur des croyances qui remontent jusqu'à l'enfance.

Tableau 4 : Le syndrome de l'Initiatrice

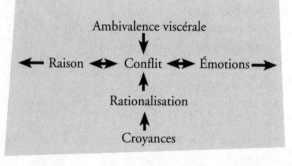

Le conflit se définit par le fait qu'une situation est à la fois source de plaisir et source de déplaisir. Tant et aussi longtemps que les deux polarités de l'ambivalence seront à peu près égales, la personne tournera en rond. Elle cherchera à se convaincre que, malgré sa froideur ou ses absences, son partenaire l'aime. Que c'est tellement bon, parfois, ce qui se passe entre les deux. Que leurs disputes sont une preuve d'amour. Que la passion n'est pas tout dans la vie, que celle-ci ne dure qu'un temps. Que si l'autre n'exprime pas sa tendresse ou refuse ses avances sexuelles, c'est qu'il a peur de l'intimité ou qu'il n'a pas appris à exprimer ses émotions. Que si l'autre ne l'aimait pas vraiment, il serait déjà parti. Qu'il est normal qu'une femme critique ou qu'un homme s'enferme dans le silence…

Ces rationalisations sont des arguments qui dissimulent des croyances sous-jacentes, généralement fausses, et qui vont dans toutes les directions :
• On ne peut pas vivre sans amour.
• Le mariage, c'est pour le meilleur et le pire.
• Le divorce est un échec.
• La solitude est la pire des situations.
• Ça ne se peut pas que notre amour soit mort après toute la passion que nous ayons vécue.
• Quand on prend un engagement, c'est pour la vie.
• Je ne pourrais pas vivre sans l'autre.
• Quand on aime vraiment, on peut tout endurer.
• Il faut souffrir pour gagner son ciel.

- Le temps va arranger les choses.
- L'amour reviendra un jour ou l'autre.

Toutes ces rationalisations et ces croyances n'abusent que le croyant lui-même. Pour sortir de ces illusions, la personne doit regarder la réalité froidement et attentivement. Elle doit se baser sur des faits et non sur ses impressions, ses interprétations ou ses espoirs :

- Depuis combien de temps dure l'insatisfaction ?
- À quand remonte le dernier « Je t'aime » ou la dernière relation sexuelle ?
- Combien d'heures par semaine passe-t-elle avec son partenaire ?
- L'autre semble-t-il réellement désireux d'améliorer la situation ?
- La fréquence des disputes augmentent-elles ou diminuent-elles ?

À plus ou moins long terme, cette ambivalence ne peut mener qu'à une perte d'estime de soi et de confiance en soi. De plus, le stress émotif créé par ce conflit provoque des tensions musculaires et des modifications biochimiques, lesquelles perturbent l'homéostasie, abaissent la résistance, développent de nombreux malaises physiques et psychologiques (voir le chapitre II) et rendent la personne réellement malade.

Quatre questions fondamentales

Si parfois, vous avez la certitude que vous devez mettre fin à votre relation, que c'est la seule avenue raisonnable et que, d'autres fois vous pensez que ce serait folie d'y mettre fin parce que vous y trouvez, somme toute, quelques satisfactions, si vous êtes incapables de prendre une décision, voici quatre questions[6] qui pourraient vous y aider :

1. Est-ce que les bénéfices que je retire de cette relation sont plus importants que ce qu'il m'en coûte ? Il n'y a aucun doute qu'il y ait un certain prix à payer pour vivre à deux, mais est-ce que le profit retiré vaut l'investissement ? Cette question semble plutôt mercantile mais, à moins d'être masochiste, laisseriez-vous vos placements dépérir année après année ?

2. Se peut-il que mes attentes face à la vie de couple soient infantiles ou narcissiques ? Que je veuille rompre pour de mauvaises raisons ? Parce que mon partenaire ne correspond pas à l'image idéale que je me suis faite de l'« âme sœur » ? Parce qu'une nouvelle passion se pointe à l'horizon ?

3. Se peut-il que je reste avec mon partenaire pour des raisons autres que l'amour ? Pour les enfants ? Pour le confort matériel ? Pour l'argent ? Pour la belle-famille ? Par peur de la solitude ?

4. Si la relation ne change pas d'ici cinq ans, en voudrais-je encore ? Serais-je capable de vivre pendant des décennies dans un tel *statu quo* ?

Il peut être difficile de répondre à ces questions, particulièrement celles qui font référence à l'égo-centrisme. C'est pourquoi il peut être utile d'en parler autour de soi et de consulter un thérapeute conjugal. Celui-ci pourra, mieux que vous, procéder à cette évaluation.

Indices d'impasse

Si malgré vos résultats au Test de bonheur conjugal, votre compréhension des relations toxiques, la description du syndrome de l'Initiatrice qui ne peut aboutir qu'à un drame et vos réponses aux quatre questions fondamentales ci-dessus, vous ne parvenez toujours pas à prendre l'initiative de la séparation, voici plusieurs autres indices démontrant que, malgré votre bonne volonté, vos efforts et votre amour, votre partenaire ne changera jamais et qu'il est préférable de rompre.

1. Vous avez réellement l'impression que vous êtes le seul à vous impliquer dans le couple ou dans la famille. Vous avez l'impression d'être davantage son parent que son partenaire. Vous en faites plus pour aider votre partenaire que lui-même n'en fait pour lui.

2. Rien de ce que votre partenaire n'entreprend ne fonctionne parce qu'il a développé une attitude négative devant la vie. Il démissionne avant même d'avoir essayé, car, dit-il, « Ça n'en vaut pas la peine » et que, de toute façon, rien ne marchera jamais pour lui.

3. Les coupables, ce sont les autres : le gouvernement, le système, les patrons, la situation économique, ses parents, vous. Tous sont responsables de sa condition, jamais lui. Il n'accepte pas la responsabilité de sa situation.

4. L'alcool, le jeu, la drogue, la cyberdépendance sont des moyens pour lui de fuir ses responsabilités, de fuir la réalité. Il est incapable d'admettre que l'une ou l'autre de ces habitudes est devenue une dépendance et il ne se rend pas compte de leurs effets destructeurs sur sa vie et sur votre relation, malgré toutes les fois où vous avez tenté de lui en parler. <u>Vous vous êtes souvent disputés à cause de ses « vices »</u>.

5. Il a développé un <u>caractère autoritaire</u> et n'accepte aucune contestation de votre part, de la part de ses enfants ou de qui que ce soit. Partout où il passe, il crée des confrontations avec son entourage.

6. Sa vie est parsemée d'échecs à tout point de vue : professionnel (il n'a jamais su garder un emploi), familial (il est en guerre avec sa propre famille), social (il n'a aucun ami intime), parental (sa relation avec ses enfants est inexistante), personnelle (il n'a aucun projet) et amoureuse (il n'a rien réglé avec son ex-conjoint).

7. Il vous dit qu'il a essayé de changer, mais qu'il n'y peut rien : « Je suis comme ça. Tu me prends comme je suis, un point c'est tout ». Là aussi, croyez-le !

8. Il essaie de gagner du temps et vous dit qu'il est capable de régler ses problèmes tout seul, qu'il n'a

besoin ni de thérapie, ni de lecture, ni de personne. Il vous a promis à plusieurs reprises de changer, mais ses changements ne durent que le temps de ses promesses, que le temps de vous amadouer.

9. Il vous avoue qu'il est très bien comme il est et qu'il ne veut absolument pas changer son style de vie. Il vous renvoie plutôt la balle en vous disant que c'est vous qui devriez changer et vous adapter. Il vous suggère même de consulter parce que c'est vous « le » problème et que de toute façon vous n'êtes jamais satisfait.

10. Vous avez de plus en plus l'impression que « Ça ne peut pas être pire ailleurs ! » et vous vous surprenez de plus en plus à penser à la séparation, à un ancien amoureux, à prendre un amant pour aller vérifier votre valeur. Vous êtes de plus en plus sensible aux marques d'attention de vos collègues ou voisins.

Que vous vous reconnaissiez vous ou certains des comportements de votre partenaire dans cette liste est tout à fait normal. Tout est une question de mesure. Si, par contre, votre partenaire correspond en tous points au tableau ci-dessus, vous avez une décision difficile à prendre, mais prenez-la. Cela ne vaut jamais le coût de vivre avec un partenaire immature. Surmontez votre peur de la solitude et votre culpabilité et quittez-le.

IV.
L'amoureux éconduit

Impossible de rester raisonnable lorsque l'on subit un rejet amoureux. Et impossible de rester neutre devant quelqu'un qui nous exprime sa douleur suite à une peine d'amour, tellement cette douleur est intense.

La rage de l'abandon

Nous l'avons déjà dit, l'Abandonnée voit son univers s'écrouler. Tout ce pourquoi il s'est investi depuis des mois ou des années disparaît. Il est donc compréhensible que derrière la tristesse éprouvée par ce vide ainsi créé puisse se profiler ce que le psychologue Reid Meloy appelle « la rage de l'abandon[7] ». Cette rage explique les nombreux crimes passionnels que les médias nous rapportent régulièrement. L'amoureux éconduit aspire à la réconciliation, mais l'expression de sa rage fait fuir l'Initiatrice.

Comment expliquer que l'objet d'amour puisse devenir l'objet de tant de haine ? Que l'on puisse en arriver à tuer l'être tant adoré ? Tout simplement parce que l'amour et la haine sont situés sur un même continuum et font appel aux mêmes circuits cérébraux et hormonaux. Lorsque nous sommes attirés par les phéromones secrétées par une personne, notre cerveau commence à produire les hormones suivantes :

1. La **phényléthylamine**. La PEA agit comme la cocaïne. Elle nous donne le surplus d'énergie qui fait que l'on peut passer des nuits à parler et à faire l'amour.

2. La **dopamine**. La PEA stimule la sécrétion de dopamine, hormone du bonheur et de l'extase, qui nous focalise sur notre source de stimulation et de plaisir. C'est tellement euphorisant que l'on voudrait sans cesse être avec l'être aimé et que cela dure toujours.

3. La **noradrénaline**. Dérivée de la dopamine, cette hormone nous fait planer et renforce notre mémoire de tous les bons moments passés avec la personne aimée.

4. La **sérotonine**. À l'inverse des trois premières hormones que le cerveau produit en plus grande quantité, lorsque nous sommes passionnés, le cerveau produit de moins en moins de sérotonine ce qui augmente notre obsession pour l'être aimé. L'amoureux est un obsédé qui ne peut pas ne pas penser à son aimé.

5. L'**ocytocine**. Sécrétée par la glande pituitaire, l'ocytocine se libère dans le cerveau et nos organes génitaux lors des contacts physiques, sexuels ou non, avec l'objet de notre amour, plus particulièrement au moment de l'orgasme. La femme en produit en grande quantité lors de l'accouchement et de l'allaitement. Les psychologues l'appellent l'« hormone de l'amour », car elle expliquerait l'attachement

amoureux lorsque, après un certain temps, la passion s'atténue.

6. Les **endorphines**. Lentement, l'organisme développe une tolérance à la PEA et le cerveau commence alors à produire des endorphines lesquelles agissent comme des opiacés (opium et morphine). Les endorphines abaissent le taux d'anxiété et procure un sentiment de bien-être et d'harmonie. Vous pouvez maintenant parler, manger et dormir en paix. Après la passion, vient le bonheur tranquille pour certains. Pour d'autres, ce bonheur tranquille les ennuie et ils repartent alors vers une nouvelle source de PEA.

Chez l'Initiatrice, la sécrétion de toutes ces hormones s'est lentement estompée et n'a pas été remplacée par la sécrétion d'endorphines ; donc, l'amour attachement ne s'est pas développé autant que chez son partenaire. Le cerveau de l'Abandonnée, lorsqu'elle est rejetée, voit disparaître subitement ses sources de plaisir, d'extase et d'attachement, d'où une frustration extrême. Elle se retrouve dans le même état physique et psychologique que l'intoxiqué qui ne trouve plus de drogue, qui ne trouve plus son « fix ». Cette frustration met en branle le système cérébral du stress qui libère alors une grande quantité de cortisol, hormone qui active différents mécanismes pour combattre la source de la frustration. Le stress stimule aussi la production de dopamine et de noradrénaline, tout en bloquant la sécrétion de sérotonine. Conséquence : la chimie du cerveau à la base du sentiment amoureux s'intensifie chez l'Abandonnée, renforce sa passion, mais aussi ses angoisses, et le pousse à tout faire pour reconquérir l'être aimé qui s'éloigne.

L'agressivité est une réaction instinctive à la frustration. Il est, par exemple, très humain d'être en colère devant le retard de notre partenaire. À plus forte raison si celui-ci nous rejette. D'après Helen Fisher, la rage de l'abandon possède une fonction essentielle : « Pousser l'amoureux éconduit à se dégager de l'impasse émotionnelle dans laquelle il se trouve, à panser ses plaies, et à reprendre sa quête d'amour sous des cieux plus cléments. »[8] Que la rage de l'abandon puisse stimuler la violence verbale et physique n'a donc rien d'étonnant : l'Abandonnée voit son projet de vie s'envoler en fumée et ce rejet amoureux l'oblige à réinvestir des énergies pour trouver un nouveau partenaire, sans oublier que son amour-propre en prend un sérieux coup.

La résignation

Heureusement, tout diminue avec le temps : le désir de reconquérir le partenaire, la colère envers l'Initiatrice, l'angoisse de la séparation, les douleurs physiques et émotives et même la rage de l'abandon. Débute alors une nouvelle étape : la résignation et le désespoir. L'amoureux éconduit finit par se résigner : son amoureux est parti pour toujours. Certains sombrent dans le désespoir. Plusieurs dépriment et ressentent une profonde mélancolie, avec des sursauts occasionnels de colère. Seuls le temps et un nouvel amour pourront les ramener à la vie. L'Abandonnée se retrouve pour un certain temps aux prises avec le syndrome du choc post-traumatique. Comme on l'a vue au deuxième chapitre, hommes et femmes réagissent quelque peu différemment lors de cette phase.

Tout comme la rage de l'abandon, la dépression constitue un mécanisme d'adaptation. Les parents et amis n'ayant jamais vécu de réelle peine d'amour vont plutôt pousser les Abandonnées à refaire le plein d'énergie, à arrêter de s'apitoyer sur leur sort, à sortir, à se changer les idées… Ils vont même leur présenter des amoureux potentiels. Mais de plus en plus d'intervenants pensent que la dépression possède une fonction de préservation de l'énergie lors d'une période de stress, comme une peine d'amour, et qu'elle doit donc être vécu et non escamotée.

La dépression, tout comme les larmes, constitue un appel à l'aide pour obtenir le soutien de l'entourage (on verra plus loin comment l'entourage peut réellement aider). La dépression permet un repli sur soi propice à une réévaluation de soi-même et des autres, de la vie, de sa vie. La dépression nous oblige à accepter la réalité même malheureuse, à résoudre des conflits, à (re)définir de nouveaux objectifs de vie, à assurer notre survie et, finalement, à améliorer notre perception du bonheur.

Cette dépression amoureuse temporaire est à distinguer de la dépression unipolaire ou bipolaire, réelle maladie mentale qui handicape la personne et la pousse au suicide. Même si l'Abandonnée peut parfois avoir des idées suicidaires ou criminelles, la dépression amoureuse fait partie intégrante d'une peine d'amour et est nécessaire à la transition entre un amour perdu et un nouvel amour. Certaines personnes, celles qui ont eu une enfance heureuse et qui sont bien entourées, s'en relèvent plus rapidement. Chez d'autres, les plus dépendants ou vulnérables, cette réaction dépressive peut activer une dépression sous-jacente ou les inciter à poser des gestes de vengeance qui peuvent aller jusqu'au crime. La personne pathologiquement jalouse est la plus susceptible de réactions tragiques.

Il est donc normal, et sain, de vivre une réaction dépressive suite à la perte de l'être aimé. Cette réaction dépressive est un trouble affectif situationnel, un état temporaire déclenché par les épreuves de la vie. Cette réaction prend généralement de trois à six mois pour s'estomper. Si elle se prolonge, il faudrait alors songer à consulter un médecin, pour obtenir des antidépresseurs ou, mieux encore, un psychologue pour comprendre les causes de la persistance de la réaction dépressive. Voici un tableau comparant les symptômes d'une réaction dépressive normale d'une réelle dépressive pathologique.

Tableau 5 : Les réactions dépressives normales et pathologiques

Réaction dépressive normale	Dépression pathologique
Durée de trois à six mois	Durée de 6 mois et plus
Troubles du sommeil	Abattement quotidien persistant
Troubles de l'appétit	Perte d'intérêt pour tout
Anxiété – colère	Agitation psychomotrice
Ruminations	Obsession, compulsion
Tristesse	Sentiment de culpabilité profond
Appréhension pour le futur	Désespoir
Difficultés de concentration	Incapacité de concentration
Pensées suicidaires occasionnelles	Pensées suicidaires permanentes
Désir de vengeance	Paranoïa
Retour progressif à la vie quotidienne	Aucune amélioration
Maintien des activités professionnelles	Isolement social
Contrôle des émotions	Pleurs continuels ou apparence de froideur émotionnelle

Certaines réactions dépressives pathologiques sont présentes au début de la peine d'amour, mais celles-ci s'estompent rapidement et on constate une amélioration progressive, malgré quelques rechutes, ce qui n'est pas le cas pour l'autre où on constate plutôt une aggravation progressive ou une persistance des symptômes.

V.
Les trois dimensions
d'une rupture

Pour émerger d'une peine d'amour, Initiatrice comme Abandonnée doivent cesser de croire que l'autre est la « seule et unique » personne qu'elle peut aimer et dont elle peut être aimée. Elles doivent sortir aussi de l'illusion que le temps ou l'amour arrangeront les choses. Survivre à une peine d'amour nécessite un travail sur soi au même titre que construire une relation amoureuse à long terme exige des efforts, des choix et des renoncements. Toute rupture provoque une révolution dans trois dimensions de la vie d'un couple et des personnes concernées.

Les considérations pratiques

J'appelle cette dimension superficielle, non pas parce qu'elle n'est pas importante, mais surtout parce qu'elle arrive en premier lorsque vient le temps de discuter des conséquences pratiques d'une rupture. Nombre de personnes m'ont dit qu'elles seraient déjà divorcées n'eut été de la présence d'enfants. Il n'y a aucun doute que les enfants souffriront de la séparation de leurs parents. Leur premier choix sera toujours que papa et maman vivent ensemble, satisfaisant ainsi leur besoin de sécurité et de stabilité. Demander à des enfants ou des adolescents s'ils préféreraient vivre avec des parents en perpétuelles disputes ou avec des parents séparés, c'est comme leur demander de choisir entre la lèpre et le choléra. L'Initiatrice ne peut qu'éprouver de la culpabilité devant le fait de priver ses enfants de la présence permanente de leur père ou de leur mère, surtout si c'est un bon parent.

Un couple sans enfant a un prétexte de moins pour faire durer une relation insatisfaisante, mais la rupture implique aussi des considérations économiques. Vivre seul coûte plus cher que vivre à deux et lorsqu'un seul des conjoints travaille, il doit faire vivre deux ménages. Sera-t-il possible de conserver intact le patrimoine acquis durement à travers les années ? Devra-t-on vendre la maison et aller vivre dans les appartements plus restreints ? Les enfants pourront-ils continuer leurs activités parascolaires ou sportives qui exigent parfois de fortes sommes ? Et si l'un des deux veut en profiter pour se réorienter professionnellement, il pourra difficilement compter sur le soutien financier de l'autre. Aucun doute là aussi, les habitudes de vie devront changer, parfois radicalement.

Et que diront les parents, les amis, les confrères et consœurs de travail ? Quoique de mieux en mieux acceptés dans nos sociétés modernes, les divorcés sont encore l'objet de certains préjugés et de certaines craintes pour les couples stables, mais fragiles. Et que se passera-t-il quand les deux ex se trouveront un nouveau partenaire et voudront recomposer une famille ? Comment réagiront les enfants à la venue d'une personne étrangère dans leur vie ?

Ce qui rend complexe cette dimension, c'est qu'au moment où les deux conjoints sont en guerre, il y a deux parents et deux associés qui doivent s'entendre pour minimiser les dégâts de leur rupture. Que se passera-t-il si l'autre ne se contente pas de la garde que l'un est prêt à lui accorder ? Les deux seront-ils en mesure de partager également la garde des enfants ? L'autre va-t-il dresser les enfants contre celui qui prend la décision de partir, créant ainsi un syndrome d'aliénation parentale[9] ? Accepteront-ils de partager équitablement leur patrimoine et toutes leurs économies ? Que se passera-t-il si, comme cela arrive trop souvent, l'Abandonnée veut faire payer financièrement l'Initiatrice de sa décision ? Qu'adviendra-t-il des amis communs et des relations avec les belles-familles ?

C'est pour minimiser les conflits engendrés par la rupture que, dans de nombreux pays, des psychologues, des travailleurs sociaux et des avocats ont développé, dans les années 80, la **médiation familiale** et que les législateurs de certains pays l'ont rendu obligatoire lorsque des enfants sont impliqués. Certains gouvernements l'encouragent en subventionnant, comme au Québec[10], les six premières rencontres avec un médiateur légalement patenté. Le médiateur fait connaître aux partenaires leurs droits, devoirs et responsabilités ainsi que ceux des enfants et les aide à négocier des ententes équitables et viables concernant la séparation, la dissolution de l'union civile, le divorce, la garde des enfants, la pension alimentaire ou la révision d'un jugement existant (s'il y a lieu). Le médiateur ne peut toutefois intervenir dans le domaine relationnel, social et professionnel des partenaires.

La médiation exige des deux partenaires beaucoup de bonne volonté, un maximum de rationalité et le souci du bien-être des enfants. Ils doivent aussi comprendre qu'ils doivent arriver à une entente à double gagnant, ce qui peut être excessivement difficile si l'Initiatrice est rongée par la culpabilité et que l'Abandonnées est aux prises avec la rage de l'abandon. C'est pourquoi de plus en plus de psychologues proposent de faire une démarche de deuil de la relation avant d'entreprendre la médiation. Même si c'est difficile, il est possible de réussir son divorce et de créer une bonne entente entre les deux ex-amants qui restent liés pour la vie à cause de leur co-parentalité. Les deux doivent toutefois accepter le fait qu'il y aura des pertes au plan des considérations pratiques.

Les fausses croyances

Nul ne s'installe en couple avec l'intention de se séparer quelque temps plus tard. La séparation vient confronter les croyances plus ou moins conscientes des partenaires. Elle remet en question de nombreux conditionnements éducatifs et sociaux.

- L'amour rime avec toujours ;
- Le mariage est un engagement à vie ;
- Je n'ai pas le droit de briser mon engagement envers mon conjoint et la société ;
- Le divorce est un échec.

Si vous entretenez ces croyances, nul doute que vous aurez de la difficulté à prendre ou à accepter la décision d'une rupture. Toutes nos croyances concernant le couple et le divorce nous viennent de nos parents et de la société. Ces croyances sont innombrables :
- Avec de l'amour et de la bonne foi, on peut tout arranger ;
- Divorcer est un signe de lâcheté ;
- Mieux vaut rester dans une mauvaise relation que de divorcer ;
- Les enfants seront marqués à vie par la séparation de leurs parents ;
- Le divorce remet en cause les bases mêmes de la société ;
- Les parents des deux conjoints ne se remettent jamais du divorce de leurs enfants.

À l'inverse, existent des croyances pro-divorce, mais qui démontrent une attitude égocentrique et même narcissique. C'est malheureusement trop souvent le cas aujourd'hui dans notre société de loisirs, de « *me, myself and I* » et de jeter après usage dès la première frustration ou déception.

- La vie est trop courte pour rester dans un mariage lorsque l'on ne s'y sent plus bien ;
- Un engagement ne tient que tant qu'il nous rapporte ;
- On ne fait pas d'omelette sans casser des œufs.
- C'est la vie, que voulez-vous ?
- Mieux vaut que ce soit un autre qui souffre que moi ;
- Tout le monde divorce, c'est à la mode.

Ces croyances ne justifieront jamais la décision de rompre.

Par contre, certaines croyances sont plus réalistes, plus matures que d'autres.

- Il n'est pas vrai que l'on doive rester dans une relation à tout prix ;
- Il se peut que les efforts demandés pour rester en couple soient au-dessus de mes capacités ;
- Si mon couple mine ma confiance en moi et mon estime, si ma santé physique ou mentale s'en ressent, il vaut peut-être mieux que je me sépare ;
- Il existe des relations invivables auxquelles on doit mettre fin (chapitre III) ;
- Je dois tenir compte des réactions des autres à mes décisions, mais elles ne doivent pas m'empêcher d'être moi-même et de me respecter ;
- Il se peut que le divorce soit non seulement la seule possibilité, mais aussi la meilleure chose à faire à long terme ;
- De toute façon, le divorce ne me libère pas de mes responsabilités en tant que père ou associé.

Il est important d'évaluer vos croyances pour savoir si elles sont réalistes ou immatures, si elles proviennent d'un sain égoïsme ou d'un égocentrisme malsain, avant de prendre votre décision de divorcer. D'après la sociologue Evelyn Sullerot, le « désenchantement » constitue la première motivation des divorces initiés par les femmes. Hommes et femmes se séparent aujourd'hui pour des raisons beaucoup plus égoïstes qu'auparavant : incompatibilité des caractères, désaccord sur les priorités de vie, partage non équitable des tâches, pour vivre sa vie de jeunesse… Les raisons traditionnelles et valables encore aujourd'hui étaient : violence, non-consommation du mariage, alcoolisme, refus de pourvoir et infidélité.

Une rupture oblige à une réévaluation des croyances, qu'on le veuille ou non. Ne serait-ce que de prendre conscience que l'amour et la bonne foi ne suffisent pas pour faire d'un couple un couple heureux à long terme, que la passion… passe, qu'il peut être moins dommageable pour soi, son partenaire et les enfants de divorcer que de ne pas le faire (dans des situations de violence par exemple). Que ce n'est pas le divorce en soi qui perturbe le plus les enfants, mais la façon de réaliser la rupture. La croyance la plus confrontée lors d'une séparation est celle qui dit que « Il la réveilla d'un baiser ; elle le trouva charmant ; ils se marièrent, eurent deux enfants et furent heureux ». Le couple en soi, tout comme l'argent, ne rend pas heureux ; il est plutôt fait pour créer des crises, pour nous confronter à l'autre et nous aider à sortir de notre enfance et à grandir. Si on n'y parvient pas à l'intérieur de la vie à deux, la séparation et la réflexion qui s'ensuit peuvent alors devenir une période de désintégration qui nous oblige à le faire. Certains anthropologues considèrent les peines d'amour comme l'équivalent des anciennes initiations qui faisaient passer les enfants au monde des adultes.

Le besoin d'aimer et d'être aimé

L'amour n'est pas vital, mais le besoin d'aimer et d'être aimé est fondamental chez l'être humain. La satisfaction de ce besoin rend la vie beaucoup plus intéressante et est une source d'énergie fantastique. Le problème réside toutefois dans le fait que le besoin d'aimer et d'être aimé enferme trop souvent des personnes dans des relations de codépendance ou des relations qui à la longue deviennent toxiques.

Même en étant convaincu de pouvoir vivre de façon autonome après un divorce, même en ayant des croyances réalistes sur la vie de couple, certaines personnes entretiennent des relations malheureuses pour une autre raison : la peur de la solitude vue comme isolement. D'après Abraham Maslow, le besoin d'appartenance prime sur le besoin d'aimer et d'être aimé. C'est pourquoi tant de gens demeurent avec des partenaires inappropriés et ne mettent pas fin à leurs relations toxiques. La peur de l'inconnu ou la peur du vide est instinctive chez l'humain et l'animal. Un jeune enfant ou un animal ne s'engageront pas spontanément sur un plancher en vitre qui recouvre un espace vide et profond. Devant une séparation possible, beaucoup d'Initiatrices paniquent, renoncent ou reviennent après une séparation temporaire. Quant à l'Abandonnée, elle a l'impression qu'on l'a poussée sur la vitre et qu'elle est en train de tomber, de s'écrouler.

C'est pour ça que tant de personnes dépendantes repoussent à plus tard la décision de partir et que des amoureux éconduits font tout pour reconquérir la personne à la source de leur malheur. C'est aussi la raison pour laquelle nombre de couples viennent en thérapie pour essayer, une dernière fois, de sauver leur couple. Très souvent, ils n'obtiennent que la confirmation de leur pire crainte : que le divorce est la seule avenue possible. Pourtant la vie existe après la rupture et, après un temps plus ou moins long dépendant de la personnalité de l'Initiatrice et de l'Abandonnée, les deux se sentent libérées et entrevoient leur nouvelle vie avec enthousiasme. Le seul regret, à maintes fois entendu au cours de ma carrière, est : « Mais pourquoi ai-je attendu si longtemps ? ».

Ne laissez donc jamais votre besoin d'attachement ou votre besoin d'aimer ou d'être aimé vous enfoncer dans une relation de dépendance ou dans une relation toxique. Apprenez à vous aimer vous-même, car moins vous vous aimez, plus vous rechercherez l'amour dans les yeux d'un autre. Par contre, plus vous vous aimerez, sans être narcissique, moins vous dépendrez de l'amour des autres et mieux vous serez en mesure de choisir une personne aussi autonome que vous à aimer et de qui être aimé.

VI.
Les stratégies pour survivre à la rupture

Il n'y a pas de doute : le temps fait généralement son œuvre dans les cas de peine d'amour. Mais si vous passez votre temps à vous remémorer les bons moments de votre passé amoureux, votre deuil en sera d'autant prolongé. Le temps peut jouer pour vous ou contre vous. Voici diverses stratégies que vous pouvez mettre en œuvre avec le temps, stratégies qui vous aideront à accélérer votre travail de deuil et qui ont fait leurs preuves.

L'historique de la relation

Initiatrice comme Abandonnée deviennent nostalgiques lorsqu'elles se rappellent les moments heureux de la relation passée. Ce faisant, leur cerveau reproduit de la dopamine, associant plaisir et souvenir, et renforce l'engramme. Plus elles se rappellent les moments heureux passés avec leur partenaire, plus elles voudraient revivre ce passé heureux et plus elles rendent difficile l'oubli. Conséquence, leur frustration augmente, leur colère aussi (baisse de la sérotonine) et le chagrin se prolonge. Il y a des gens qui, trois ans plus tard, n'ont pas encore « décroché » de leur passé et espèrent toujours que leur ex leur reviendra un jour ou l'autre. La nostalgie, c'est vivre au passé. Le problème, c'est que cette nostalgie se transforme souvent en mélancolie. Il y a des gens qui préfèrent le chagrin à l'oubli.

Un moyen simple pour accélérer le décrochage consiste à se remémorer tous les moments difficiles passés avec le partenaire et à faire une liste de tous ses défauts. Je vous conseille de mettre tous ces souvenirs et tous ces défauts par écrit et de placer cette liste à portée de main (la coller sur la porte du réfrigérateur, par exemple, ou dans votre sacoche) pour la relire quand la nostalgie revient. On conditionne ainsi le cerveau à associer l'ex-partenaire avec le déplaisir, ce qui pousse votre corps à produire des toxines plutôt que de la dopamine.

L'Abandonnée peut ajouter à la liste toutes les conséquences négatives de la rupture provoquée par la décision de l'Initiatrice. Ce faisant, elle stimule sa colère plutôt que sa dépression. La colère est une émotion intégrante ; elle est source d'agressivité. L'agressivité est nécessaire à la préservation et la poursuite de la vie. L'agressivité est une énergie vitale mise à la disposition de nos besoins pour la recherche de leur satisfaction. L'initiatrice, quant à elle, pour couper court à toute velléité de retour, doit ajouter à cette liste toutes les raisons pour lesquelles elle en était venue à vouloir la séparation. Relire cette liste la confirmera dans sa décision, car on fait rarement du neuf avec du vieux.

Réécrire l'historique de sa relation en la dramatisant, plutôt qu'en la regrettant, n'exige qu'un simple effort de volonté. Quand la peine d'amour sera chose du passé, il sera alors temps de se souvenir de tous les moments heureux et il sera alors possible de transformer cette relation amoureuse en relation amicale, si les deux le désirent et surtout si des enfants sont impliqués.

De nouvelles activités

Il est préférable, en cas de rupture, de conserver ses activités professionnelles, sociales, sportives ou culturelles. Si vous cessez de travailler, si vous vous isolez, vous accentuerez le vide créé par la rupture. Vous aurez alors plus de temps pour ruminer. Vous forcer à travailler ou à sortir, malgré votre douleur, vous aidera à penser à autre chose et diminuera le temps où votre cerveau est envahi par la pensée de la perte. Il sera difficile lors des premiers jours de vous concentrer sur autre chose que la perte, mais vous réussirez. Il n'est pas nécessaire d'entrer dans les détails, mais avertissez votre patron ou vos associés et collègues que vous vivez un moment difficile afin qu'ils comprennent mieux votre tendance à vous isoler, vos sautes d'humeur et même le ralentissement de votre rendement. Ne soyez pas gêné, ils sont probablement passés par là, eux aussi. Plusieurs clients m'ont dit avoir été surpris de recevoir autant de compréhension et de support de leur employeur. Une rupture amoureuse n'est pas une tare, ce n'est qu'un dur moment à passer. Plus vous vous sentirez compris et soutenu, plus rapidement vous vous en sortirez.

Non seulement devez-vous demeurer actif, mais vous pouvez aussi profiter du temps qui vous est maintenant imparti pour réaliser des projets ou des rêves longtemps mis de côté parce que vous vouliez investir dans votre couple et votre famille. Votre peine d'amour sera directement proportionnelle au temps, à l'énergie, aux ressources et aux attentes que vous avez investis dans votre couple. Si vous avez mis tous vos œufs dans le même panier, confié ce panier à votre partenaire et que ce dernier le laisse tomber, ne vous surprenez pas si vous avez l'impression que votre vie s'écroule et que vous vous sentez totalement démuni. Par contre, si vous avez su investir équitablement vos énergies dans les quatre dimensions de votre vie, la perte de l'une de ces dimensions, quoique douloureuse, ne signifiera nullement la fin du monde, seulement la fin d'un monde ou d'une dimension de ce monde.

Tableau 6. Les quatre dimensions de la vie

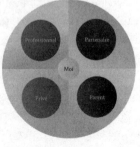

Si vous quittez ou êtes quitté, le temps, l'énergie et les ressources ainsi récupérés peuvent maintenant être réinvestis ailleurs. Vous pouvez évidemment en investir dans votre carrière professionnelle, mais vous pourriez aussi passer plus de temps auprès de vos enfants. Il se peut même que vous n'ayez pas le choix si vous êtes en garde partagée. Vous devrez peut-être travailler davantage car vivre seul coûte plus cher. Si vous n'avez pas d'enfant ou lorsque l'autre s'occupe des enfants et si vous n'avez pas besoin de plus d'argent, vous pouvez vous rapprocher de vos amis ou parents, raviver vos anciennes amitiés ou en découvrir de nouvelles. Il se pourrait qu'un collègue de travail à qui vous vous êtes quelque peu confié vous fasse le cadeau de son amitié. Vous pourriez aussi vous rappeler vos projets de vie alors que vous étiez adolescent, sans aucune responsabilité professionnelle, conjugale ou familiale. Que vouliez-vous faire de votre vie ? Qu'est-ce que vous vous étiez promis de réaliser avant de mourir ? Faire le tour du monde en bateau à voile ? Déménager à Paris ou San Francisco ? Apprendre une nouvelle langue ? Construire votre propre maison ? Prendre une année sabbatique ? Retourner à l'université ? Réorienter votre carrière ? Évidemment, certains de ces projets pourront difficilement se réaliser si vous avez des enfants, mais l'objectif des nouvelles activités est de vous sortir de la dépression dans laquelle vous risquez de vous enliser.

Pour paraphraser le philosophe Alain, l'homme se préoccupe de son bonheur, alors que son plus grand bonheur est justement d'être occupé à faire ce que l'on aime avec des gens que l'on aime. Devenez un célibataire heureux qui réalise ses rêves et vous verrez comment le bonheur attire le bonheur ; vous n'aurez que l'embarras du choix de votre prochain partenaire.

Un nouvel amour

Il n'existe rien de mieux, pour guérir d'une peine d'amour, que de retrouver un nouvel amour. Oui, je sais, vous vous étiez promis de ne plus jamais vous laisser prendre à ces jeux qui peuvent faire si mal. Prendre le risque d'aimer, c'est aussi prendre le risque de souffrir d'amour. Mais c'est l'amour qui donne un sens et du piquant à la vie et qui, sans transporter les montagnes, est une source d'énergie incroyable et rend la vie tellement plus agréable. Vous pouvez accumuler toutes les richesses du monde, si vous êtes sans amoureux, sans amis, sans famille, sans amour en un mot, vous pourrez difficilement être heureux. Il est évident que vous devez prendre le temps de vous délier totalement, de panser votre peine avant de penser à vous relier, mais la possibilité de nouer une nouvelle relation amoureuse accélérera le processus de deuil.

Vous avez maintenant une certaine expérience en matière de relation et de déception amoureuses. Profitez de la phase dépressive du processus de guérison d'une peine d'amour pour réévaluer vos critères de sélection de vos amoureux antérieurs, afin de ne pas répéter la même erreur dans votre futur choix.

Déterminez les qualités auxquelles vous tenez et les défauts que vous ne voulez plus retrouver chez votre prochain amoureux. La meilleure façon d'obtenir ce que l'on veut, c'est de savoir ce que l'on veut et de le demander.

Les recherches sur les couples heureux ont démontré, sans l'ombre d'un doute, que la compatibilité des caractères était essentielle pour vivre en harmonie à très long terme. Ce facteur compterait pour au moins 70 % dans leur réussite. Comment trouver un partenaire compatible ? Dans les bars et discothèques ? Au travail ? Dans les agences de rencontre ou sur Internet ? Peut-être ! Mais la meilleure stratégie, à mon avis, pour trouver un partenaire approprié consiste tout simplement à être heureux, même seul. Vous ne savez absolument pas combien de temps durera votre nouvelle phase de célibat, choisie ou forcée. Profitez-en donc pour faire ce que vous aimez, pour découvrir de nouvelles activités, comme nous l'avons suggéré au point 2 ci-dessus. Que vous aimiez les sports, la musique ou la culture, allez-y. Vous risquez de rencontrer un sportif, un mélomane ou un artiste… donc une personne qui partage vos goûts et peut-être votre philosophie de vie, donc une personne compatible. Dans les bars, vous risquez de rencontrer des alcooliques ; dans les discothèques, des couche-tard ; au travail, des « workaholiques » ; dans les agences de rencontres, des désespérés. Là aussi, des partenaires compatibles, mais beaucoup moins intéressants. À vous de profiter de votre peine d'amour, période de désintégration positive par excellence, pour réfléchir à ce que vous voulez faire pour le reste de votre vie.

Je connais un homme qui avait toujours eu comme rêve de faire le tour du monde en bateau à voile, même s'il n'y connaissait rien. À 32 ans, après une peine d'amour particulièrement douloureuse pour son ego (il avait été quitté parce qu'il n'était pas prêt à devenir père), il décida de prendre une année sabbatique. Il alla à la marina de Québec et réussit à se faire engager bénévolement sur le premier bateau à voile en partance pour le large. C'est ainsi qu'en quelques mois, de voilier en voilier, il fit le tour de l'Atlantique du nord au sud, tout en accumulant de l'expérience sur la navigation à voiles. À Marseille, « par hasard », il rencontra une Québécoise elle aussi amoureuse de la voile. Ils sympathisèrent rapidement et ce qui devait arriver arriva. Il n'est jamais retourné à son ancien emploi. À 40 ans, père de deux jeunes enfants, lui et sa partenaire font des allers-retours pour amener et reconduire les bateaux à voile de riches propriétaires de voilier à la retraite qui passent leurs étés à Québec et leurs hivers en Floride ou dans les Caraïbes.

Trop beau pour être vrai ? Je vous encourage à lire *Votre vie… reflet de vos croyances* de Richard Thibodeau[11] pour comprendre que vous êtes le principal artisan de votre malheur ou de votre bonheur et que vous irez là où vous pensez. Si vous pensez que votre vie ne sera plus jamais la même après une peine d'amour, vous avez parfaitement raison. À vous de décider maintenant

si elle sera pire ou meilleure : voulez-vous être un prophète de malheur ou un prophète de bonheur ?

Aphorismes[12] pour accélérer le deuil

Les tenants de l'approche émotivo-rationnelle soutiennent que les idées sont à la base des émotions,
même les plus dévastatrices. Pour eux, le problème
réside davantage dans la perception de la situation
problématique que dans la situation elle-même.
Changez, disent-ils, votre perception et vous modi-
fierez vos émotions. On peut donc entretenir des
idées qui nous rendent malheureux, comme : « Ma
vie n'a aucun sens sans mon partenaire » en croyances
qui nous rendent heureux, comme : « La vie existe
après le divorce et elle est souvent meilleure ».

Personnellement, à un moment critique de ma
vie, les paroles d'une chanson de Jean-Pierre Ferland m'ont grandement aidé à accélérer la transition.
Permettez-moi de vous les citer :

Qu'est-ce que ça peut ben faire
Que je vive ma vie tout à l'envers
Qu'est-ce que ça peut ben t'faire
Quand moi j'aurai le cœur à l'envers
Qui c'est qui viendra pleurer à ma place

On est toujours tout seul
On finit toujours avec sa gueule
Mais qu'est-ce que ça peut ben faire

Que j'vive pas la même vie que mon père
Qu'est-ce que ça peut ben faire
Que j'me prenne pour un univers
Qu'est-ce que ça peut ben t'faire
Quand y aura plus rien qui me fera rire
Qui c'est qui viendra mourir à ma place

On est toujours seul
On finit toujours avec sa gueule
Mais qu'est-ce que ça peut ben t' faire ?
Que j'grimpe les murs, que j'vive dans les airs ?

Wô !… Pousse pas trop fort
J'ai pas envie d'mourir avant d'être mort
Oh !… Arrête !
J'veux pas descendre avant d'être arrivé au bord

Donne-moi l'temps d'prendre mon temps
Donne-moi l'temps de m'habituer à respirer
Mais qu'est-ce que ça peut ben faire
Que j'vive pas la même vie que mon père

L'enfer l'enfer l'enferland Ferland Ferland… [13]

Cette chanson m'a fait comprendre que j'avais le droit de ne pas suivre le chemin qui m'avait été tracé par mon éducation et fait aussi prendre conscience de la puissance de ma pensée sur mes émotions. Il se peut que ces paroles n'aient pas le même effet chez tous, mais il y a certainement des paroles d'autres chansons ou des aphorismes qui peuvent avoir le même effet sur vous et vous aider à accélérer le processus de la rupture. En voici quelques-uns : j'espère que vous en trouverez un qui vous convient tout particulièrement et qui vous aidera à vous déculpabiliser.

• La seule personne avec laquelle je suis assuré de passer le reste de ma vie, c'est moi. Je me dois donc de devenir mon meilleur ami, ma meilleure amie.

• Le bonheur n'est pas le but du chemin, mais une façon de voyager. Il se peut, par contre, que ce bonheur ne soit pas toujours confortable.

• Le bonheur n'est pas une question de statut civil. Vivre à deux n'est pas une garantie de bonheur, tout comme vivre seul, une garantie de malheur.

• La douleur d'une rupture ne va pas durer toujours. En fait, elle ne durera pas aussi longtemps que la douleur de ne pas rompre.

• Nous n'avons qu'une seule vie à vivre et nous ne sommes responsables que de nous-mêmes et de nos enfants, pas des autres adultes.

• Il y a des gens qui meurent ou deviennent malades d'une relation malheureuse. Voulez-vous en faire partie ?

• Mieux vaut vivre seul que dans une relation toxique.

• L'intensité de vos symptômes de sevrage n'est pas une preuve de la force de votre amour, mais de la force de votre dépendance.

- Aujourd'hui, nous vivons assez vieux pour divorcer et connaître plusieurs belles histoires d'amour.
- Au Moyen-Âge et à la Renaissance, les enfants du divorce s'appelaient des… orphelins.
- Mieux vaut un divorce réussi qu'un mariage raté. Et pour réussir son divorce, les deux doivent y trouver leur compte.
- Ce sont seulement les deux amants qui se séparent ; les deux parents, eux, sont liés pour la vie.

Tout au long de ce livre, vous avez certainement dû lire des phrases qui vous ont marqué et fait réfléchir ; peut-être même les avez-vous surlignées. Prenez le temps de les relire à l'occasion.

La PNL à la rescousse

La programmation neurolinguistique ou PNL[14] est une forme de psychologie appliquée développée à partir des travaux de Milton Erickson, Virginia Satir et Fritx Perls au début des années 70. Ses objectifs :

1. Parvenir rapidement à des changements personnels pour le mieux-être de la personne.
2. Améliorer la communication entre les individus.

Dans les deux cas, par l'utilisation d'outils pratiques et concrets. Comme son nom l'indique, cette approche intègre l'informatique, la neurologie et la linguistique. Là où les aphorismes utilisent des mots pour initier des changements, la PNL travaille davantage avec des images mentales. Voici deux exercices tirés de la conduite automobile qui sont fort utiles pour se libérer d'une peine d'amour.

Le point aveugle

Tout conducteur automobile connaît l'existence du point aveugle, c'est-à-dire un espace qu'il ne voit pas s'il regarde dans le rétroviseur central et de côté. Un camion peut facilement loger dans ce point aveugle. L'exercice mental consiste à :

1. Fermer les yeux et imaginer un écran intérieur sur lequel apparaît le partenaire que vous venez de quitter ou qui vient de vous rejeter. Restez en contact avec vos émotions à la vue imaginée de ce partenaire et prenez le temps de prendre conscience ou d'exprimer ces émotions à la personne, thérapeute ou non, qui vous accompagne dans cet exercice.

2. Volontairement, éloignez l'image de votre partenaire afin de créer une distance entre lui et vous. Notez au fur et à mesure que vous l'éloignez les modifications émotives que vous ressentez. Contrairement à l'Initiatrice, cet éloignement sera difficile à faire la ou les premières fois pour l'Abandonnée puisqu'il va à l'encontre de son désir qu'il revienne. Persévérez et continuez de l'éloigner : un mètre, dix mètres, cent mètres… de façon à ce qu'il prenne de moins en moins de place sur votre écran intérieur et que vous puissiez enfin le regarder sans réaction émotive intense.

3. Toujours volontairement, gardez l'image de votre partenaire à la même distance et déplacez-la maintenant vers la gauche (et non à droite), à environ 90º, tout en continuant de regarder devant vous sur votre écran. Prenez conscience des changements dans votre état émotif et remarquez le calme qui s'installe.
4. Déplacez-le maintenant jusqu'à un angle de 135°, au centre du point aveugle et, à nouveau, prenez conscience de votre état émotif et exprimez-le à votre accompagnateur.
5. Vous savez que votre ex est là, sur l'arrière gauche, mais vous ne pouvez le voir si vous regardez les deux rétroviseurs.

Refaites cet exercice régulièrement ou chaque fois que la nostalgie de la relation passée revient.

Le rétroviseur central

Que diriez-vous d'un conducteur automobile qui dirigerait sa voiture en ne fixant que le rétroviseur central, sans prendre le temps de regarder où il va ? C'est exactement ce que font les personnes qui ressassent sans fin leur passé. Survivre à une peine d'amour demande du temps, le deuil doit se faire, mais la volonté peut aider. Et dans cet exercice, la volonté consiste à se forcer à regarder dans le pare-brise pour voir toutes les nouvelles directions possibles, en ne jetant que de temps en temps un coup d'œil au rétroviseur afin de voir le chemin parcouru et voir s'éloigner l'ancien partenaire.

Ces deux exercices, complémentaires l'un de l'autre, aident la personne qui quitte ou est quittée à prendre rapidement ou reprendre progressivement le contrôle de sa vie : au lieu d'être assisse sur le siège du passager, elle s'assied au volant et décide qu'elle direction prendre en regardant en avant. Ces exercices sont surtout utiles pour l'Abandonnée, le travail de distanciation ayant déjà été fait par l'Initiatrice avant de prendre sa décision de partir. Mais l'Initiatrice peut l'utiliser lorsque le goût de revenir la titille.

L'aide de l'entourage

Les trois principales sources d'amour sont la famille d'origine, les amis et le partenaire amoureux. On ne choisit pas sa famille, mais elle satisfait en partie notre besoin d'appartenance. On dit des amitiés qu'elles sont plus durables que les amours, car l'amitié est basée sur des affinités alors que l'amour est davantage construit sur des complémentarités. La famille nous approuve ou nous désapprouve. Un ami nous accepte tel que nous sommes alors qu'un amoureux cherche à nous « améliorer » pour nous faire correspondre à l'image qu'il a de nous.

Établissons un principe de base : l'Initiatrice, malgré tout son désir ou son sentiment de culpabilité, ne peut en aucun cas être de quelque secours que ce soit au plan émotif pour l'Abandonnée et ce, pour deux raisons principales :

1. L'Initiatrice ne peut être à la fois cause et remède. Elle ne peut en même temps rejeter son partenaire et l'aider à s'en remettre.
2. Chaque fois que l'Initiatrice exprime de la compassion pour son partenaire, en prend soin d'une façon quelconque ou répond à une demande intime, elle ravive l'espoir de l'Abandonnée pour un retour prochain. Chaque rapprochement verbal, sentimental ou sexuel sera suivi d'un nouveau rejet et rouvrira la blessure de l'Abandonnée qui prendra d'autant plus de temps à s'en remettre.

L'Initiatrice peut faciliter le règlement des considérations pratiques, mais ne peut devenir le thérapeute de l'Abandonnée. Aussi cruel que cela puisse paraître, la meilleure chose que l'Initiatrice peut faire est de disparaître totalement de la vie de son partenaire, aussitôt sa décision annoncée, ou du moins minimiser la fréquence et la longueur des contacts. Comparons la rupture à l'expérience de retirer un sparadrap fortement collé à la peau. L'arracher vite ou lentement provoque la même douleur, sauf que dans le premier cas la douleur, quoique vive, dure moins longtemps.

L'Initiatrice peut par contre, mais indirectement, aider l'Abandonnée en communiquant avec les parents et les amis intimes de son ex pour leur dire que ce dernier risque d'avoir davantage besoin d'eux dans les semaines à venir. Pour l'Abandonnée, savoir que d'autres personnes l'aiment et la soutiennent dans cette épreuve peut être d'un grand secours à la condition que parents et amis agissent conformément aux règles suivantes :

1. La première et souvent la meilleure chose à faire est : se taire et écouter, écouter et encore écouter. C'est plus difficile qu'on ne le pense, car l'envie d'aider activement est tellement forte que nous sommes portés à donner des conseils et à trouver des solutions pour notre ami ou enfant. Il faut se rappeler que chaque fois que quelqu'un nous raconte sa peine, il prend de la distance par rapport à elle. C'est la base même de la majorité des thérapies : ne pas intervenir et écouter les faits et sentiments que l'autre veut bien exprimer devant nous.

2. Ne pas partager notre propre expérience de peines d'amour, à moins que l'Abandonnée ne le demande. Nous devons chercher à comprendre le vécu de l'autre et non pas imposer le nôtre.

3. Ne jamais faire de commentaires sur le partenaire, même lorsque l'Abandonnée exprime sa colère contre lui. Ce partenaire a déjà été aimé par l'Abandonnée et il devra, s'il est co-parent, entretenir des relations futures avec lui. Savoir que son parent ou son ami a une perception négative de son ex ne peut pas l'aider. À moins que ce partenaire ait vraiment été toxique (chapitre III).

4. Ne vous apitoyez pas sur son sort. Certaines personnes entretiennent leur peine lorsqu'elles sentent que cela leur permet d'attirer l'attention sur elles.

5. À l'inverse, ne minimisez pas sa peine. Ayez de la compassion et de la sympathie, deux mots qui signifie « souffrir avec », sans vous laisser envahir par sa douleur. Démontrez-lui que vous vous sentez concerné par ce qui lui arrive.

6. N'essayez pas de prendre les choses en main et de forcer l'Abandonnée à faire des choses qu'il refuse, comme sortir, mais restez disponible s'il en exprime le désir. L'Abandonnée a besoin de solitude pour évaluer sa situation et prendre des décisions. Rien ne sert de tirer sur une rose, elle ne poussera pas plus vite.

7. Soyez patient, car il se peut que vous entendiez la même histoire à plusieurs reprises. Et dites-lui la vérité si l'Abandonnée vous demande si elle vous ennuie avec son histoire. Vous devez aussi l'aider à passer à « autre chose ». Faites des propositions d'activités, mais ne forcez rien. Demandez-lui ce qu'elle voudrait que vous fassiez pour elle.

8. En principe, l'Abandonnée devrait reprendre progressivement goût à la vie. Sinon, il sera toujours temps de réagir et de vous concerter avec ses parents et autres amis pour l'aider autrement.

Si en tant qu'ami ou parent, vous vous sentez dépassé par la situation et craignez le pire, insistez pour que l'Abandonnée consulte un médecin ou un psychologue.

L'aide thérapeutique

Les personnes en peine d'amour peuvent compter sur trois types d'intervention thérapeutique : l'aide médicale, l'aide psychologique et l'aide spirituelle.

L'aide médicale

Comme nous l'avons vu tout au long de ce livre, une peine d'amour constitue non seulement un traumatisme psychique, mais aussi un traumatisme physique qui affaiblit le système immunitaire et qui, dans la quatrième étape du processus, déprime les fonctions psychiques et physiologiques. Les médecins possèdent tout un arsenal d'antidépresseurs qui peuvent vous aider à atténuer les symptômes biochimiques et reprendre plus rapidement le contrôle de votre vie. Il n'y a aucune honte à avoir, pour un certain temps, besoin d'une béquille. Consultez votre médecin avant d'être obligé de consulter un psychiatre.

L'aide psychologique

La psychologie est la science de la psyché humaine. Pour devenir psychologue, il faut au minimum quatre ans de formation universitaire. Le psychologue spécialisé en thérapie conjugale est le professionnel le mieux formé pour vous accompagner lors d'une rupture. Non seulement saura-t-il vous écouter activement et vous aider à accélérer le processus de guérison, mais il pourra aussi vous aider à prendre conscience de :

- La dynamique relationnelle qui a provoqué la rupture et de votre responsabilité dans cette dynamique ;
- La normalité ou non de vos réactions actuelles ;
- Vos scénarios relationnels destructeurs répétitifs, s'il y a lieu ;
- La différence entre la dépendance émotive et l'amour véritable ;
- Vos fausses croyances concernant l'amour et la vie de couple ;
- L'influence de votre passé sur le choix de votre ou vos partenaires ; et
- Ce qu'il faut faire et ne plus faire pour être heureux en couple à long terme.

Pour y arriver, les approches psychologiques pour le traitement des peines d'amour sont multiples et les pseudo-professionnels autoproclamés de la psychothérapie sont légion. Une rupture abaisse vos mécanismes de protection psychique, au même titre qu'elle affaiblit votre système immunitaire, et vous rend particulièrement sensible aux influences extérieures positives ou négatives. Assurez-vous donc de faire appel à un intervenant membre d'un ordre professionnel assujetti à un code d'éthique strict. Entreprendre une psychothérapie témoigne de votre désir de ne pas tout laisser tomber et de vous reprendre en main.

L'aide spirituelle

D'après Suzanne Bernard, Ph. D., « Le spirituel, c'est la réalité non changeante qui sous-tend tous nos états intérieurs changeants. Découvrir la possibilité d'une conscience témoin, qui constate, sans réagir, les émotions que le courant de l'existence produit en nous, relève de la spiritualité ». Il est donc possible de trouver une aide spirituelle en dehors de tout système religieux et ce, même si vous n'êtes pas croyant. Le conseiller spirituel a pour vocation d'aider autrui à mieux « respirer » en l'aidant à trouver un sens à sa peine d'amour. Le conseiller spirituel n'est ni médecin, ni psychologue, il se présente essentiellement comme un « tuteur » qui soutient l'autre dans sa démarche. Il ne cherche pas à convaincre ou à embrigader, il aide à trouver des réponses en soi.

Conclusion :
Et après !

Toute rupture est un moment critique qui devient un tournant dans la vie de chacun d'entre nous parce qu'elle nous remet personnellement en question. Elle remet aussi en question nos conditionnements, nos habitudes et nos croyances acquises pendant l'enfance et l'adolescence au sujet de l'amour et de la vie à deux. Une séparation nous oblige à nous adapter à une nouvelle situation que nous n'avons pas nécessairement recherchée.

Prendre la décision de quitter n'est pas facile et il ne faut pas non plus prendre cette décision sur un coup de tête, après une dispute avec son partenaire par exemple, malgré l'intensité de la dispute. Le couple est source de conflits, souvent insolubles, et passe nécessairement par des moments critiques. Ces conflits et crises nous confrontent et nous forcent à évoluer ; c'est pourquoi il ne faut pas jeter l'éponge trop rapidement et essayer de tout faire pour sauver notre couple, sous peine de répéter le même scénario ailleurs. Mais il y a aussi des relations toxiques qu'il nous faut quitter au plus tôt, des relations qui nous isolent et nous font perdre petit à petit l'estime de soi et la confiance en soi et en l'autre sexe.

Que vous décidiez de quitter ou que vous soyez quitté, vous passerez par les mêmes étapes de choc, de colère, de marchandage, de tristesse et finalement de résignation et d'adaptation à votre nouvelle vie. Vous aurez mal, votre corps souffrira, vous risquez d'être confus et désespéré, vous vivrez aussi un mal à l'âme, mais, à moins de vous ouvrir les veines ou de vous tirer une balle dans la tête, vous survivrez. Cela prendra du temps, mais vous survivrez. On ne meurt pas d'une peine d'amour.

Vous vous en remettrez d'autant plus rapidement que vous utiliserez les bonnes stratégies pour survivre à votre peine d'amour. Vous pourrez même découvrir en vous, et autour de vous, des ressources insoupçonnées et une nouvelle vie que vous n'aviez pas imaginée possible. Et n'essayez surtout pas de vous convaincre que vous n'êtes pas fait pour l'amour, que personne d'autre ne voudra de vous, que de toute façon mieux vaut ne pas aimer pour éviter de souffrir car **la souffrance provoquée par l'absence d'amour est pire que la souffrance d'une peine d'amour.**

Bibliographie

Barranger Jack, *Savoir quand quitter…*, Montréal, Le Jour / Actualisation, 1990.

Beigbeder Frédéric, *L'amour dure trois ans*, Paris, Grasset et Fasquelle, 1997.

Dallaire Yvon, *Qui sont ces couples heureux ?* Québec, Option Santé, 2006.

Fisher Helen, *Pourquoi nous aimons ?* Paris, Robert Laffont, 2006.

Halpern Howard M., *Adieu, Apprenez à rompre sans difficulté*, Montréal, Le Jour, 1983.

Klein Stefan, *Apprendre à être heureux. La neurobiologie du bonheur*, Paris, Robert Laffont, 2002.

Notes

1. Pour approfondir votre connaissance des moments critiques inévitables, des crises insolubles et des stratégies à utiliser pour les gérer, consultez mon livre *Cartographie d'une dispute de couple*, publié aux Éditions Jouvence (2007).

2. Pour une discussion plus détaillée sur les différences entre l'amour et la passion, lire le deuxième chapitre de mon livre *Qui sont ces couples heureux ?* publié aux Éditions Option Santé (2006).

3. Kübler-Ross Élisabeth, *Accueillir la mort,* Paris, Pocket, 2002.

4. Cette observation a été effectuée en analysant des données de 1951 à 1986 au Québec, dans les autres provinces canadiennes, dans la plupart des états américains, en Norvège, au Danemark et en Finlande. Vous les retrouverez dans le chapitre V de mon livre *Homme et fier de l'être*, Éditions Option Santé.

5. Pour en savoir davantage : Nazare Aga, *Les manipulateurs et l'amour,* Montréal, Éd. de L'Homme, 2000.

6. Les deux premières sont inspirées de Halpern Howard M., *Adieu, Apprenez à rompre sans difficulté*, Montréal, Le Jour, 1983, pp. 117-118.

7. Rapporté par Fisher Helen, *Pourquoi nous aimons ?* Paris, Robert Laffont, 2006, p. 176.

8. Fisher Helen, *ibidem,* p. 186.

9. Défini comme un processus qui consiste à programmer un enfant pour qu'il haïsse un de ses parents sans que cela ne soit justifié, le syndrome d'aliénation parentale (SAP) fait de plus l'objet de recherche par les psychologues et travailleurs sociaux. Pour en savoir davantage, visitez le site de François Podevyn sur :
www.reseauparents.ch/SAP.html

10. Pour en savoir davantage :
www.justice.gouv.qc.ca/francais/publications/generale/mediation.htm (Québec),
http://fr.wikipedia.org/wiki/M%C3%A9diation_familiale (France).

11. Thibodeau Richard, *Votre vie… reflet de vos croyances,* Montréal, Quebecor, 2006.

12. Aphorisme : sentence où s'opposent la concision d'une expression et la richesse d'une pensée et dont l'objectif est moins d'exprimer une vérité que de contraindre à réfléchir. (Larousse)

13. Ferland Jean-Pierre, *Qu'est-ce que ça peut ben faire*, Album *Les Vierges du Québec*, GSI-Jaune, PJC 1009. Vous pouvez écouter cette chanson interprétée par Éric Lapointe sur :
www.youtube.com/watch?v=6pykWwR1dz8

14. Pour en savoir davantage : http://fr.wikipedia. org/wiki/Programmation_ neuro-linguistique

15. Si vous croyez être victime ou qu'un proche est victime d'un charlatan, consultez Psychologie Vigilance à www.sos-therapires.org

16. www.quebecweb.com/suzannebernard/ateliers. html

Achevé d'imprimer en octobre 2015
sur les presses de la Nouvelle Imprimerie Laballery
58500 Clamecy
Dépôt légal : octobre 2015
Numéro d'impression : 509258

Imprimé en France

La Nouvelle Imprimerie Laballery est titulaire de la marque Imprim'Vert®